用藥安全手冊

600 題醫藥常識快問快答

這樣吃藥最安全！快問快答用藥常識大哉問

財團法人中華景康藥學基金會 編著

目　錄

前言

　　基於關懷社會大眾之健康，藥界配合衛生署的施政，自二〇〇二年起連續四年執行「社區教育推展藥學知識」計畫，推動藥師踏出工作崗位，走入社區貼近民眾，教導用藥知識。前後有五百多位全國各地執業經驗豐富且熱心公益的醫院和社區藥師接受培訓，經甄選後聘為「民眾用藥安全教育」的講師，組成正確用藥傳遞團隊。除了到社區大學開授用藥知識課程，也深入社區團體及中小學校，舉辦用藥專題講座，並進而參與廣播用藥訪談教學。四年期間，先後曾在全國五十八所社區大學開課，北由基隆社大，南至屏東縣社大，花東亦涵蓋在內；而於各地舉辦之用藥講座高達七百五十場次之多，連金門的鄉鎮也有藥師們的足跡。

　　我們的教學先由藥學專家與執業藥師一起精心規劃主題，編寫內容大綱，並經過一再審核修改後編輯完成一套導正民眾正確用藥觀念及加強用藥安全的核心教材。藥師們採用這些生活化的實用教材，再搭配有多年執業經驗能以通俗語言

講解，讓民眾學習後得以靈活運用所學的知識於日常生活。我們經由調查得知社大學員普遍認定學習到正確用藥知識，糾正了過去錯誤的用藥觀念，不但對個人保健有幫助，也能為自己和家人的用藥安全把關，社會大眾也因而認識藥師的專業，並感受到藥師給予的關懷。

　　原先編製教材的思維，總以教導民眾一般藥物相關知識列為主要內容，但在實際教學過程，藥師從學員所提出用藥相關的問題中發覺，仍然還有許多知識是日常生活中所需要瞭解應用的。因此我們收集學員上課所提的問題，經整理分類並撰寫答案，以Q&A的方式提供講師做為輔助教材，使教學內容更加廣泛實用。

　　計畫結束之後，我們對限於時間倉促完成的Q&A輔助教材，經檢討發現在幾年不同時段撰寫的類似問題答案欠一致性，有些問題答案的完整性、切題性、明晰性，或是問題不明確導致答案有偏頗等問題，確有必要重新整理。因此，再度組成編輯群，一方面由社大開課所編印的講義中，摘取最為實用之內容，另一方面修改既有資料，並針對尚未解答的部分問題也納入撰寫答

案，綜合整理歸類為：用藥人的權利、正確用藥觀念、藥品資訊、藥品與人體、藥能治病，也能致病、鎮痛解熱鎮暈及感冒藥、腸胃藥止瀉劑瀉劑、皮膚、眼、耳、鼻用藥、氣喘用藥與吸入劑、慢性病與老年人用藥、小孩及孕婦的用藥安全、婦女衛生保健及更年期用藥、減肥藥與藥用美容、保健食品、中草藥、藥物濫用以及綜合性（疫苗、流感、化療、其他）等單元，加以系統性的排列，而整併各單元參考之文獻資料則列於最後。

編輯群在歷經一年多的工作，對於過去編製及增列之Q&A，均經逐字逐條的審慎修改與編撰，終於完成五百題用藥指導Q&A，於二〇〇八年九月出版。出版後首先贈送參與「社區教育推展藥學知識」計畫的藥師們，以答謝大家無私的奉獻，並期盼藥師們繼續以全民用藥教育為己任，對民眾的愛心播種到全國各地。

雖然資訊科技急速發展，處於現代社會人人有福享受廣泛且最新的訊息，但在疾病的預防、治療以及健康生活的品質方面，許多缺少實證依據且不正確的相關資訊充斥國內外，經由不同管

道傳遞給大眾，民眾在日常生活中所遇用藥問題上錯誤的觀念甚為普遍，而民眾健康自我照護在用藥知識上更是薄弱。這些藥界長期所關切的議題，適時引起多位藥師在閱讀《用藥安全500 Q&A》後，回應本書內容的實用性與通俗化應該直接推廣給大眾使用，因而促成再版的決定。本次編修內容，在初版基礎上，於各單元增加內容外，為加強對中草藥的認知與正確觀念，特別增列中草藥一項單元，總計十七單元中之Q&A共達六百八十題，已充分涵蓋基本用藥常識於內。期盼民眾閱讀本書後多加學以致用，獲得用藥安全教育。

　　由於「社區教育推展藥學知識」計畫的執行，讓藥師們得以發現民眾的諸多需求，並間接成為催生本書的動力。對於衛生署藥政處王惠珀前處長、廖繼洲前處長推動計畫，以及作者、審訂委員團隊，協助資料整理繕校的郭鵑綺、張雅雯、李珮甄與李淑貞等助理們的不辭辛勞，全心全力付出，在此致上最深的謝意。

總策畫　陳瓊雪　謹記

2009年12月

1

用藥人的權利

🐻1. 醫藥分業對民眾有何好處？

(1) 醫師開立的處方公開透明，民眾用藥知識可以提升，且經過藥師把關後用藥安全上多一份保障。

(2) 民眾自不同醫師處拿到的處方箋到社區藥局調劑，可以得到更完善的用藥指導。且藥師可依據病患用藥檔案，檢查不同醫師的用藥及病人使用的非處方藥、另類療法間是否有重複用藥、交互作用與禁忌，可以降低醫療疏失、藥品不良反應。

🐻2. 藥師如何為民眾用藥安全把關？

藥師根據對病人病情的瞭解與藥物的知識，進行藥物治療的評估、判斷與監測。由處方的判讀、處方藥品的調劑及用藥後的追蹤，給予病人最適當的藥物治療。

🐻3. 藥師和醫師在藥品諮詢上角色有何不同？

(1) 醫師對其專長領域用藥的臨床療效、不良反應與適應症經驗豐富，但對於非醫師專長藥品的認知可能較需要協助。

(2) 藥師經過藥學專業訓練及執照考試，對於藥品的基本認知（包括藥品的劑型、劑量、藥品交互作用、

使用方法、藥品安定性、在體內的變化，以及藥品管理與保存）較為深刻。有臨床實務經驗的藥師，對於治療學、臨床療效、不良反應及藥品相關資訊更是最好的顧問。

4. 藥師和藥劑生有何不同？執業資格有差異嗎？

藥師為大學藥學系畢業且經過國家考試合格之專業人員。藥劑生則是職校畢業，是以往大學藥學系畢業藥師較短缺時，過渡時期訓練的藥事人員，另外藥劑生不得調劑及管理含麻醉藥品之管制藥。

5. 藥房和藥局的差別？

民國七十八年十二月三十一日前，經核准登記領照營業之西藥販賣業者經營之場所稱為藥房，其販賣人員可能不是藥師、藥劑生，而是租用藥事人員牌照之藥商。藥局則須由藥師或藥劑生親自執業。

6. 藥局領藥時，藥師都要跟我收「處方箋」，為什麼不能憑收據或用藥紀錄來領藥？

收據只是醫療院所列當次就醫時醫療費用的明細，供

民眾參考留存。處方箋則是醫師根據病情所開立的藥品處方，醫師依法在處方箋上簽名或蓋章，藥師調劑後也須在處方箋上簽名或蓋章，且依法規將處方箋留存，以供查核。用藥紀錄僅供用藥參考，所以必須憑處方箋才能調劑、領藥。

🐯7. 社區健保藥局可以提供民眾什麼服務？

(1) 醫師處方的確認及調配。

(2) 非處方藥（包括成藥與指示藥）及其他醫療用品的供應。

(3) 轉介不適合用非處方藥治療的病人到診所或醫院就醫。

(4) 教育民眾正確用藥知識，加強民眾自我照顧能力。

(5) 為醫師處方內容及藥品的使用把關，保障民眾用藥安全及減少醫療浪費。

全民健康保險
特約藥局

辦理業務：
1. 特約醫院及診所之處方調劑
2. 特約醫院及診所之慢性病連續處方調劑

圖片來源：行政院衛生署

8. 民眾到健保藥局憑處方箋領藥需要付費嗎？

一般門診處方藥費超過一百元時，需付藥品部分負擔費用，最高二百元，但若為慢性病連續處方箋或牙醫門診處方箋則免藥品部分負擔。

9. 醫生寫的是否皆為處方藥？

不完全是，成藥、指示藥或處方藥，均可為醫師處方內藥品，但是否為健保給付藥品，需依當月健保局公告給付藥品項目為主。目前健保仍給付部分的指示藥。

10. 如何辨別健保有給付的藥品？

除了部分以前公勞保時期給付之少數指示藥外，一般成藥、指示藥健保不給付。至於處方藥部分則須依健保局公告為主，一般病患不易辨別。可上網參照健保用藥品項查詢，網址：http://www.nhi.gov.tw。

11. 哪些民眾可享有藥品部分負擔優惠？

(1) 經醫師診斷病情穩定的慢性病患者（高血壓、糖尿病等九十七種慢性病）持慢性病連續處方箋，在三

個月有效期間內去領藥時，可免藥品部分負擔，且
僅需三個月回診一次。

(2) 持身心障礙手冊者，一律只收五十元。

(3) 經醫師轉診者不加重部分負擔（維持原金額）。

(4) 門診手術及住院患者出院後七日內第一次回診，視
同轉診，並得由醫院開立證明供病患使用。

12. 社區藥局給我的藥會跟醫院給的不一樣嗎？

基於維護民眾對藥師的信賴，藥師一般會提供與醫院
同廠牌的藥品，不會自行替換廠牌。但是，根據健保
局的規定，除非醫師有特別註明不可替換廠牌，藥師
在調劑時可使用與處方箋上具有相同成分、同含量、
同劑型，但不同廠牌的藥品。

13. 拿處方箋去健保特約藥局，領不到藥怎麼辦？

如果是因為沒有備處方箋
上的藥品，民眾可以到別
家健保藥局領取或回原醫
療院所領藥。健保藥局因

目前承接之處方來源廣泛，因此無法備齊。建議民眾可儘早（七日前）將慢性病連續處方箋交付想要調劑之健保藥局，讓藥師有足夠時間備藥並為您做最佳的服務。

🦁14. 何種情況下可請醫師開立慢性病連續處方箋？若醫師不願意開怎麼辦？

當慢性病病情穩定，經醫師評估所服用藥品品項及劑量短期內不需調整，及病人服藥依順性高等因素皆符合下，則可考慮開立慢性病連續處方箋；醫師不開立時，病人可以主動詢問原因。若服藥期間有任何不適，應該像平常生病一樣回到原來的醫療院所就診，並且帶著原來的處方箋與醫師討論。

🦁15. 診所也能開慢性病連續處方箋嗎？

可以，只要疾病項目符合慢性病及病情穩定程度許

可，所有的健保特約醫療院所及各地區的健保局門診中心，都可以拿到慢性病連續處方箋。

16. 為什麼慢性病連續處方箋最多只能開三個月？

讓疾病穩定的病患能夠不必每個月均到醫院就診，且每個月可就近到住家附近的社區健保藥局領藥，而每三個月再回門診讓醫師瞭解疾病控制情形。

17. 慢性病處方箋與慢性病連續處方箋是否有不同？其部分負擔是否相同？

慢性病連續處方箋是醫師開給慢性病患者的長期用藥處方箋，這種處方箋可以連續分次調劑，有效期間為自醫師開給處方日起三個月內有效。

慢性病連續處方箋可以分次領藥，且每次給藥在二十八天以上的，可以免自付藥品部分負擔。但如果是單次慢性病處方（如二十八或三十天處方）而非連續處方時，病人仍須繳交藥品部分負擔。

🦁 18. 是否持有重大疾病卡者才能開慢性病連續處方箋？

不是，當慢性病病情穩定，經醫師評估所服用藥品品項及劑量短期內不需調整及病人服藥依順性高等因素皆符合下，則可考慮開立慢性病連續處方箋。

🦁 19. 持慢性病連續處方箋可以到哪裡領藥？

持連續處方箋調劑者，須等上次給藥服用完前七天內，才可憑連續處方箋再到原處方特約醫院、診所或到健保藥局調劑。若保險對象因處在偏遠地區而無法到原處方醫院、診所調劑，而且所在地沒有健保特約藥局時，可至其他特約醫院或衛生所調劑。

🦁 20. 去社區健保藥局領慢性病連續處方箋的藥，有什麼好處？

民眾可以自行選擇方便或是信賴的藥局領慢性病連續處方箋藥品；省時、省錢又方便，可配合自身的時間，在住家或上班地點附近的健保藥局領藥，減少往返醫療院所的奔波之苦，減少暴露在病菌下的機會；且不須負擔任何費用。此外，社區藥局的藥師可提供

完整的用藥指導及諮詢服務。

21. 慢性病連續處方箋期間覺得沒控制好怎麼辦？

病人仍可回到醫院或診所求診，若醫師開了新的處方時，舊有剩餘的慢性病連續處方箋應放棄使用，改用新處方。

22. 做復健治療時，是否可以使用慢性病連續處方箋？

復健治療有其自設健保療程，與慢性病處方箋無關。若復健科醫師認為病患有符合慢性病的病情時，醫師得依其診斷開立慢性病處方箋。

23. 遺失慢性病處方箋該怎麼辦？

如果遺失慢性病連續處方箋，需要重新掛號看診請醫師開立處方。

24. 為何不同藥局販賣的藥品價格不同？

藥局進貨量、進貨管道、進貨成本、店面租金、人事成本等均會影響到其販售藥品的價格。

25. 診所可以由藥師以外的人員發藥嗎？

不可以，除非特殊條件下由醫師親自調劑並給藥，不得交由護理人員或其他人調劑或發藥。

★補充：

【藥事法102條】

醫師以診療為目的，並具有本法規定之調劑設備者，得依自開處方，親自為藥品之調劑。全民健保實施二年後，前項規定以在中央或直轄市衛生主管機關公告無藥事人員執業之偏遠地區或醫療急迫情形為限。

26. 有些診所（包括牙科、眼科）目前仍不給處方箋，且標示不明該如何改善？

民眾應主動向診所醫師要求處方箋至社區藥局調劑，因為依法醫師必須遵照病患要求提供處方，同時對於標示不明之藥品也應向醫師詳細詢問。

27. 民眾拿到藥品時，藥袋上應該有那些說明？

醫療法（民國九十八年五月二十日修正）規定醫療院

所交付民眾藥品時，藥品容器包裝上必須完整標示病人姓名、性別、藥名、劑量、數量、用法、作用或適應症、警語或副作用、醫療機構名稱與地點、調劑者姓名及調劑年、月、日。

28. 診所藥袋沒有提供藥名該怎麼辦？

藥品上如果沒有辨識碼，無法憑顏色及外型辨認藥品。為了自己的安全及健康，不要到不提供藥名的醫療院所及藥局看病、拿藥。

29. 醫師對幼兒用藥是否有添加類固醇，民眾如何得知藥中有否類固醇？

從取得的藥品外觀無法判斷是否添加類固醇，但民眾可要求就診後將處方箋拿到可信賴的社區藥局調劑，以保障用藥安全。民眾也可以留下適量的藥品送交檢驗單位，以自費方式檢驗藥中所含成分。

30. 藥害救濟的申請單位？

為財團法人藥害救濟基金會，其主要業務即接受衛生署委託辦理藥害救濟之業務。

31. 申請藥害救濟有無時效限制？

根據中華民國八十九年五月三十一日總統（89）華總一義字第8900132440號令制定公布之藥害救濟法第十四條藥害救濟之請求權，自請求權人知有藥害時起，因三年間不行使而消滅。

32. 打錯藥或給錯藥是否適用藥害救濟？

不適用，因醫療疏失所導致之傷害，依藥害救濟法第十三條第一款規定，對於有明顯醫療疏失，且有法律事實可推定賠償責任者，非藥害救濟對象。其次如是因預防接種疫苗導致之不良後果，國內另有〈預防接種受害救濟要點〉，受理單位為預防接種地之衛生局。

33. 吃藥過敏是否在藥害救濟範圍？

是，但必須符合藥物許可證所載之適應症或效能。若此過敏現象為常見可預期之藥物不良反應或此過敏反應未達死亡、障礙或嚴重疾病之程度，不得申請藥害救濟。

34. 剖腹生產施打麻醉藥若出問題，是否可以申請藥害救濟？

必須符合申請藥害救濟的條件，請參考財團法人藥害救濟基金會網站（http：//www.tdrf.org.tw）說明。要申請藥害救濟必須為因正當使用合法藥物所產生的藥害（達死亡、障礙、嚴重疾病），且預防接種、急救使用過量藥物、試驗用藥所造成的不良反應皆不可申請藥害救濟。（排除條款見藥害救濟法第十三條或洽詢02-23587343）。

35. 臨床試驗中免費試用的藥品，若是使用後出現了問題，可申請藥害救濟嗎？如何釐清責任歸屬？

試驗用藥不包含在藥害救濟範圍，因此若發生嚴重副作用請求賠償，可依據雙方簽立的契約內容判定責任歸屬。

36. 患者至醫院看診，醫生未告知便更換藥品，患者服用後休克送急診，這樣可以申請藥害救濟嗎？

須先確定醫師所換的藥物是否符合藥物許可證所載之適應症或效能，及此休克現象是否確實為藥物造成，而導致死亡、障礙或嚴重疾病之程度，才能決定是否符合藥害救濟條件。

37. 民眾持有過期藥品應如何處理？

目前政府尚未有相關規定，建議民眾將藥品送到社區藥局或醫院，由藥局或醫院處理。避免與一般垃圾混合送到掩埋場，亦不可沖入水槽或馬桶，以免造成土壤及地下水汙染。

2
正確用藥觀念

🐻1. 什麼是正確用藥？

正確用藥包括根據診斷選擇最適當的藥品，以及正確使用藥品。到診所看病，必須清楚描述病情作為醫師診斷的依據，醫師才能依據每個人的病情、年齡、體質及工作性質等，選用最合適的藥品。遵照醫師與藥師的指示方法用藥，才能使藥品發揮療效。

自行到藥局購買成藥時也須清楚描述病情，作為藥師協助選擇藥品的依據，並遵照藥師的指示方法用藥。

🐻2. 忘記吃藥，下回吃藥時可以連帶補吃上一次的藥量嗎？

不可以，除非有醫師特別指示。在下回吃藥時只要服用正常藥量即可，不要服用雙倍藥量。

🐻3. 哪些藥品可以在症狀消失後就停用呢？

用於感冒、鼻塞、流鼻水、過敏、拉肚子、消化不良、頭痛及腰酸背痛等藥品可以在症狀消失後停藥。但是如果服藥後症狀未好轉、變嚴重或症狀持續時間過長時，就需要就醫。切勿自行增加劑量、延長用藥期間或再自行購買藥品來治療。

4. 剛把止痛藥吃下去才發現已經過期了，請問該怎麼辦呢？

過期的藥品，可能因變質而療效降低或副作用增加。如果只是吃了一顆，沒有不舒服或特別的反應，應無大礙。家裡的藥品應保存於原包裝並注意有效期限，過期藥品應即丟棄。

5. 醫生在什麼時候會開抗生素給病人使用？

當醫師確認或懷疑病人體內有病菌感染，或手術前後為了預防病菌感染時就會使用抗生素。

6. 醫生開立抗生素是否會因人而異？

是的。抗生素的使用必須考量感染部位、嚴重程度，在什麼環境下受到感染（例如社區或醫院）等因素，若是在院內感染，即使病人本身很少用抗生素，也可能感染到具抗藥性的細菌。如果有細菌培養的結果，則可依細菌對不同抗生素的敏感性給予適當藥品治療。

7. 醫師開的抗生素是否應全部吃完？

抗生素使用有一定的適應症與療程，療程、給藥途徑

會因藥品、病原菌、感染部位及嚴重程度而不相同，千萬不可認為症狀已經消失或緩解就自行停藥、減量或不規則服藥，必須依照醫師囑咐持續用藥，直到整個療程結束才可停藥。如此才能消滅病菌，避免細菌之抗藥性不斷增強而造成治療失敗。

8. 醫生開抗生素為什麼不開最新型的呢？

抗生素的代數通常是代表其開發的時間，例如第一代就是同類抗生素中最早被發展出來的。同類的抗生素彼此之間可能有不同的抗菌活性與範圍、藥品動力學性質、以及副作用等等，因此在開立抗生素時必須針對這些因素來考量，不一定會從第一代開始使用。至於劑量方面，抗生素必須依照感染部位及嚴重程度給予一定的劑量，才能達到有效的殺菌或抑菌濃度，如果劑量過低不但無法有效殺菌，甚至可能引起抗藥性。

9. 抗生素是否對每一種細菌有效？

抗生素的種類很多，每一種抗生素都有其抗菌範圍，並非對每一種細菌皆有效。因此所有抗生素的使用，都必須交由醫師診斷對

症下藥,提供正確的醫療。

🐦10. 抗生素是不是俗稱的美國仙丹?

俗稱的美國仙丹指的是作用廣泛的類固醇,而不是抗生素。其實,任何藥品用對了都是仙丹,用錯了就是毒。

🐦11. 抗生素都是口服藥嗎?

抗生素除了口服藥(錠劑、膠囊劑、糖漿劑),還有針劑、外用軟膏等,視不同感染部位決定給藥途徑。

🐦12. 抗生素糖漿是否需儲存於冰箱?

不一定。一般抗生素懸浮液、未沖泡前的乾粉可於室溫儲存;沖泡後就應該置於冰箱冷藏室,但不可冷凍保存。所有沖泡後的懸浮液都有一定的保存期限,請依照藥袋標示保存或詢問藥師。

🐦13. 如何決定抗生素使用期間?

抗生素的使用期間主要以感染部位、菌種及細菌培養的結果作決定。

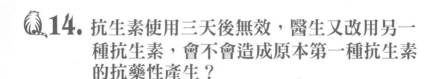

14. 抗生素使用三天後無效,醫生又改用另一種抗生素,會不會造成原本第一種抗生素的抗藥性產生?

抗生素使用三天無效可能有很多原因,例如致病菌原本就對此抗生素有抗藥性,或是此抗生素的抗菌範圍並不能涵蓋這種致病菌,此時改用另一種抗生素是合理的。如果是因為劑量不足導致無效,就必須依照個人情況調整劑量。有些較嚴重的感染,或是抗生素不容易到達感染部位,醫師通常會依照個人感染的情況來調整抗生素的使用。

15. 什麼是抗藥性?是如何產生的?

當抗生素因不當使用而無法消滅細菌時,存活的細菌得以喘息,在生存的壓力下,細菌會以基因突變方式產生頑強的變種,使得抗生素再也無法殺死它,這就是所謂的抗藥性。

16. 使用抗生素是否會造成抗藥性?

民眾未經醫師診斷就自行購買抗生素服用,依過去的經驗要求醫師開給抗生素,劑量不足或是未依照醫師

處方服完整個療程，都可能助長抗藥性的產生。

🐾 17. 未完成整個抗生素療程就停藥，而產生的抗藥性會維持多久？

抗藥性會持續多久，取決於產生此抗藥性的病菌（或病原體）能在體內存在多久。如果環境中沒有淘汰這些抗藥性病菌的力量，它們就能繼續繁殖，甚至將這種抗藥能力傳給其他病菌。

必須長時間不使用抗生素，使得不具抗藥性的病菌與具有抗藥性病菌競爭生存環境，才有可能把這些抗藥性病菌淘汰掉。

🐾 18. 住院期間施打抗生素，出院後需要繼續口服嗎？

抗生素必須使用足夠的劑量及療程，才能有效殺死細菌並控制感染。不同的感染其所需的療程長短也會不一樣，因此有可能會需要繼續口服抗生素治療。

🐾 19. 外用的抗生素製劑是否會被吸收而影響全身的功能？

外用抗生素製劑通常只作用於塗藥的部位，除非長時

間、大面積使用，否則全身性吸收不多，全身性副作用機率不大。

20. 打 Penicillin（青黴素）是不是比較容易引起過敏反應？

注射Penicillin會不會產生過敏反應，視個人體質而定，如果會對Penicillin產生嚴重過敏反應，則可能有致命之虞。不過這樣的機率是非常低的，而且過去曾對Penicillin產生過敏反應的人，才比較有發生的可能。因此如果病患曾有Penicillin過敏的情形應告知醫師，請醫師評估是否應進一步做Penicillin的皮膚測試，並依照測試結果來選擇用藥。

21. 人類食用注射過抗生素的禽畜是否會產生抗感染的能力？

業者在宰殺禽畜前一段時間會停用抗生素，以避免抗生素殘留，但部分業者未遵照規定，太早宰殺，導致禽畜體內殘留抗生素。不過通常驗出

的抗生素含量不高，而且加熱後抗生素會被破壞，因此人類食用後並不會產生抗感染能力。

🦊22. 胃不好的人吃抗生素該不該配胃藥？

不少民眾認為西藥會傷胃，與胃藥併服可以保護胃部，其實，這是一個錯誤的觀念。目前大約只有兩成不到的西藥會傷胃，除了十二指腸潰瘍、胃潰瘍等消化性潰瘍患者，為避免吃藥傷胃，必要時才需併服胃藥。部分抗生素如四環黴素類與胃藥一起服用時，吸收受阻或減少，反而會使藥效明顯降低。一般而言，服用抗生素並不會對胃部造成傷害，但每個人體質不同，如果服用抗生素，腸胃感到不適，建議可和食物一起服用，以減少腸胃不適。

🦊23. 「面速立達姆」裡面有抗生素嗎？有沒有副作用？

面速立達姆（現名：曼秀雷敦軟膏）裡面不含抗生素，其主成分為薄荷腦及樟腦。除非個人體質對其中某些成分產生過敏現象，通常並不會有什麼副作用。二歲以下嬰幼兒使用需先請教醫師或藥師。

🦊24. 拔牙後要吃抗生素嗎？

視情況而定，若傷口較大，拔牙後必須使用適當抗生素預防感染。曾經患有心內膜炎、換過心臟瓣膜或抵

抗力較差的人，拔牙前必須先使用適當抗生素預防感染。

25. 抗生素與中藥一起服用會影響其吸收嗎？

抗生素與中藥併用，可供參考的資料並不多。部分抗生素（如Tetracycline、Quinolone），與含鈣、鎂、鋁或鐵之中藥一起服用，會影響抗生素的吸收與療效。為了用藥安全，建議民眾應避免中西藥同時服用。

26. 抗生素等藥品造成的牙齒變色，是否可經由藥品或飲食加以改善？

牙齒生長的時期（妊娠後期、新生兒、小於八歲兒童）服用四環素（tetracycline）可能導致永久牙齒變色（黃灰褐色），很難還原。

27. 氯黴素可用在細菌性的腹瀉嗎？

氯黴素（Chloramphenicol）是一種廣效型的抗生素，對沙門氏菌及部分致病腸道菌具有療效，但由於氯黴素會引起嚴重且無法復原的不良反應（再生不良性貧血），且目前有許多安全性較高的抗生素，所以在醫療上很少使用氯黴素。

28. 消炎藥可以治療病菌感染嗎？

一般所謂消炎藥，其實是非類固醇類抗發炎藥，作用為止痛、退燒、抗發炎（例如類風濕性關節炎），無法治療感染症。過去有人將治療病菌感染的抗生素稱為消炎藥。為避免誤解，請勿再將抗生素稱為消炎藥。

29. 抗黴菌藥是消炎藥嗎？

抗黴菌藥的作用為治療黴菌感染，而消炎藥是指非類固醇類抗發炎藥，作用為止痛、退燒、抗發炎，兩者不同。許多因素都可以引起發炎反應，而黴菌感染就是其中一個因素。只有在黴菌感染時，才使用抗黴菌藥。為避免誤解，請勿將抗黴菌藥稱為消炎藥。

30. 皮膚的黴菌感染吃藥或是擦藥膏有效？

皮膚的黴菌感染依據感染的菌種、部位及嚴重程度，來決定應該使用局部塗抹的藥膏或是口服藥品。如果是較輕微的淺層感染，使用藥膏就相當有效；若較深層、較嚴重感染則可能需使用口服藥品來治療方能達到最理想的效果。

🐾31. 我的灰指甲只有一趾，需要全腳皆塗抹藥膏嗎？

灰指甲由於指甲較厚，外用藥膏的滲透性有限，所以一般治療以口服藥為主。灰指甲需經醫師診斷、開立處方才能用藥。

🐾32. 治療灰指甲的藥品是不是一天吃一次？

治療灰指甲的口服抗黴菌藥品，有些服用方式為一天一次，有些則是一天數次，這些都要依感染部位及藥品的特性來決定。但是其中有些藥品亦可使用脈衝療法（Pulse therapy），此時就不是一天吃一次，因此應仔細閱讀藥袋上的標示或者向醫師及藥師確認您目前接受的是哪一種療法。

> ★脈衝療法補充：
> Terbinafine 250 mg/日 × 6週（手指），12週（腳趾）
> Itraconazole 200 mg 每日兩次，每個月服用一週，共服用2個月（手指），3個月（腳趾）；或每日服用200 mg，連續服用2個月（手指），3個月（腳趾）
> Fluconazole 每週服用一次，每次150-300 mg，服用3-6個月（手指），6-9個月（腳趾）

🦁33. 服用治療灰指甲的藥品為何要測肝功能？

治療灰指甲的口服藥品可能會造成肝功能指數上升、黃疸、肝炎等副作用，不過發生機率並不高，大多數患者在停藥後副作用是可以消失的。因此在服藥期間必須定期檢測肝臟功能，請醫師評估是否需要調整藥量或是停止使用藥品，以避免對肝臟造成傷害。如果病人本身就已經有活動性或慢性肝炎等肝臟疾病，則服用這些藥品後產生較嚴重肝臟問題的危險性會更加提高，因此在使用這些藥品之前必須更加謹慎小心。

🦁34. 療黴舒曾發生使用後造成肝毒性的個案，局部使用是否亦有此危險？

目前有肝毒性報告的個案都是口服的劑型，尚未有外用藥膏造成肝毒性的報告，只要依照正常程序使用應該是安全的。

🦁35. 香港腳的療程要多長？

治療香港腳的療程要看香港腳的嚴重程度，來決定使用口服藥品或外用藥，或是二者同時併用，需要的療程皆會不同。療程的長短，依據個人免疫力、感染嚴重程度及對藥品治療的反應不同而異。治療香港腳絕

對需要耐心，不管癢不癢，都需勤於擦藥，直到皮膚恢復正常，再多擦兩個星期，絕對不可擅自停藥。

36. 有用口服藥品來治療香港腳嗎？

治療香港腳的藥品有局部塗抹的藥膏也有口服藥，醫師會依據感染部位（例如：有沒有牽涉到腳趾甲）、面積大小及嚴重程度等因素來決定。輕微感染通常採用藥膏局部治療，副作用較少。較為嚴重的感染有時會用口服藥品治療，但一定要由醫師診治開處方。

37. 可用類固醇來治療香港腳嗎？

香港腳通常會伴隨搔癢，塗抹類固醇藥膏會讓香港腳的症狀消除，但會使黴菌感染更不易控制，一般在香港腳伴有溼疹時，醫師才會短期使用。香港腳藥膏還是以單純的殺黴菌藥膏為最佳的選擇，須經醫師診斷及建議才能短期使用類固醇。

38. 香港腳擦優碘有效嗎？

優碘通常用於傷口感染，治療香港腳應該用抗黴菌的藥膏。

🐌39. 擦香港腳的藥膏可用來治療尿布疹嗎？

尿布疹成因多種，輕微的包括刺激性皮膚炎、念珠菌感染、也可能是因小朋友皮膚本身的問題。而香港腳藥膏是專門用來治療黴菌感染，兩者並不一樣，故發生尿布疹時，應就醫查明原因。

🐌40. 罹患帶狀疱疹時可以使用類固醇嗎？

口服類固醇用於治療帶狀疱疹，在臨床上的爭議性很大，部分研究顯示類固醇可減輕帶狀疱疹的急性期疼痛，但對於疱疹引起之神經痛後遺症則無效；亦有研究顯示類固醇可能會使疱疹擴散，延遲皮膚癒合，而不宜使用。

🐌41. 使用口服固醇類藥品時，有那些注意事項？

口服類固醇必須經醫師處方才可使用，使用期間應注意：

(1) 定期回診以便監控藥品療效與副作用，並適時調整藥品劑量。

(2) 長期服藥時，未經指示切勿擅自停藥；如醫師評估可以停藥，必須按指示逐漸減量，不可突然停藥。

(3) 勿與酒精性飲料一起服用。

(4) 用藥期間避免接觸水痘或麻疹的病人；如欲施打疫苗必須諮詢醫療專業人員。

(5) 接受任何手術、拔牙或皮膚測試前，請告知醫師正在服用固醇類藥品。

(6) 用藥前（後）若懷孕、準備懷孕或哺乳，請告知醫師。

42. 類固醇用量是否須漸進？類固醇短期用藥是否須慢慢減量？類固醇突然停藥會怎樣？

類固醇不一定是漸進使用或慢慢停藥，類固醇的使用期限和停止一定要聽醫師指示，不可自作主張停藥。長期使用類固醇後，身體已習慣外來補充的類固醇，大腦的下視丘漸漸減少刺激類固醇的分泌，一旦突然停藥，則體內類固醇不足而造成戒斷症候群（例如：頭痛、暈眩、嗜眠、肌痛、關節痛等）。

43. 何時服用類固醇才不會影響生理類固醇的分泌？

人體內有內生性類固醇，為應付突如其來的外在壓

力，就會分泌較多。血中促腎上腺皮質激素（ACTH）分泌的高峰在早上八點，而皮質類固醇的血中濃度高峰為早上九點，所以建議如果要補充皮質類固醇藥物的話，可以在早上九點的時候使用，與體內分泌的生理狀況一致，可以達到較佳的效果。

44. 何時須使用大量類固醇？

根據不同疾病，為達到免疫抑制、抗發炎的作用時，均會用到大量類固醇。

45. 類固醇有很多副作用，為什麼醫師要我服用一段時間後再慢慢停藥？

有些疾病需要用類固醇來控制疾病的進展，提早停藥可能導致疾病控制不佳。長期服用後突然停藥，疾病可能復發，甚至更嚴重，或導致人體自行分泌的類固醇分泌失調的現象。

46. 長期使用固醇類藥品，是否可以短暫停用幾天？

長期使用類固醇，切勿自行停藥或減少劑量，以免病情加重或產生類固醇戒斷症候群（Withdrawal

syndrome）。類固醇戒斷症候群的症狀包括：低血壓、低血糖、全身倦怠、關節肌肉疼痛、嘔吐、噁心、厭食、體重減輕、心跳增加、皮膚脫屑、腹痛及皮膚濕冷，嚴重時還會有發燒、意識不清、昏迷，甚至致命。

47. 什麼是月亮臉？水牛肩？

是使用類固醇所產生的副作用之一，這類的副作用是由於體內的脂肪重新分配堆積在皮下，往中央軀幹集中，造成臉部圓潤腫脹好像月亮；肩後背部因脂肪堆積而厚實凸起好像水牛的背部隆起，稱為水牛肩。

48. 類固醇若造成副作用（如月亮臉）要如何才能回復或治療？

類固醇造成的副作用，必須在醫師有計畫的調降類固醇藥量下回復，不可自行驟然停藥。

49. 在治療肺結核的過程中，會不會發生藥物引起的副作用？

初次使用治療肺結核的藥品，副作用相當輕微，例如有些人會有噁心、胃部不適、食慾不振、關節酸疼、

手腳麻木、皮膚變黃、起疹、發癢、眼白變黃、視力模糊等。發生上述問題時，一定要立即告訴診治醫師。經過醫師適當的處置，通常都會恢復正常。

🦃50. 服用治療結核病的藥品產生副作用時，可不可以減量或少吃幾種？

千萬不可以！減量服藥或是少吃幾種藥很容易造成抗藥性，一旦變成抗藥性的結核病，不僅治療成功的機會大減，治療的時間也會延長。服藥一旦發生副作用，一定要立即告訴診治醫師，只要和醫師好好配合，問題一定可以解決。

🦃51. 中藥能不能治好肺結核？

目前還沒有臨床證實中藥能治好肺結核，最好不要輕易嘗試，以免病情延誤。但是國人往往對中藥情有獨鍾，如果病人堅持要服用中藥，絕對不可以放棄服用治療結核病的藥品。

用藥安全手冊

3

藥品資訊

1. 用藥資訊要從何種管道得知？

(1) 藥品說明書、標示

(2) 市售常見之藥品手冊

(3) 網路上的藥品資訊

(4) 藥師與醫師的專家意見

但是市售的藥品手冊與網路上的藥品資訊來源參差不齊，必須要小心選擇。

2. 健保藥價可在哪邊查詢？

中央健康保險局網站＞快捷查詢＞健保用藥品項查詢→http：//www.nhi.gov.tw/inquire/query1.asp?menu=1&menu_id=8

3. 不會上網查藥品該怎麼辦？有沒有常用藥品的書可以買到？

衛生署出版的《藥物實體外觀辨識手冊》，依照錠劑、硬膠囊、軟膠囊等分別可以查詢具有標記的口服固體劑型藥品；另外，坊間出版的《常用藥品手冊》、《常用藥物治療手冊》、《MIMS現代藥師指南》有許多常用藥品的資料。但用藥資訊還是請教藥師，不要自行解讀。

4. 對藥品的品質有疑慮時要去哪裡檢驗？

消費者若對於藥品、食品、化妝品之品質有疑慮時，請直接向當地衛生局消費者服務中心申請檢驗，受理之衛生局會將案件送至衛生署食品藥物管理局研究檢驗組，結果會再轉知當地衛生局通知消費者。

詳細資料可上食品藥物管理局→業務專區→研究檢驗網站→http://www.fda.gov.tw。

5. 連鎖藥局自營品牌和藥廠製造的相同成分藥品，二者療效是否相同？

藥事法所稱藥品製造業者，係指經營藥品之製造、加工與其產品批發、輸出及自用原料輸入之業者，得兼營自製產品之零售業務。藥廠製造藥品必須符合優良藥品製造規範，藥局不可自行製造藥品。連鎖藥局委託符合優良藥品製造規範之藥廠製作之相同成分藥品，其療效相當。

6. 天然與化學合成的藥品有何不同？

天然藥品的來源是自然界的動植物；合成藥品，則完全由化學原料合成而來，兩者來源不同，效果差異無法比較。

7. 藥品是否有分新舊藥？

新藥與舊藥是相對而言的。一般而言，新近上市的藥品被稱為新藥，相對的早一些時間上市的就被稱為舊藥，目前法規上所稱的新藥包括：新成分、新療效複方、新使用途徑製劑，只要它們相對於舊藥符合上述三種之一的情況，即可被認定為新藥。新舊藥之間不一定有優劣之分，新藥的優勢在於可能療效較佳、可能使用比較方便；但是舊藥的優勢則在於使用經驗較多，對不良反應控制的經驗也較多。

8. 藥品放置在容器中為何會裂開？

容器中的藥品裂開有很多原因，包括：
(1)藥廠製造的不良品。
(2)藥品運送過程中受到過度的搖晃。
(3)藥品保存方式不當或超過有效期限。

9. 藥品包裝上寫外文的就是進口藥嗎？

不一定。藥品包裝上通常都會中文與外文並列，且成分通常是以英文名標示，進口藥可以由衛生署所核發的許可證字號來分辨，如：衛署藥輸字第○○○○○○號。

10. 藥製、藥輸、成製之差異？

民眾可藉由藥品許可證字號辨認藥品種類：

(1)「衛署成製字第○○○○○○號」，表示衛生署核准製造的成藥許可證字號。

(2)「衛署藥製字第○○○○○○號」，表示衛生署核准於國內製造的藥品許可證字號。

(3)「衛署藥輸字第○○○○○○號」，表示衛生署核准由國外輸入的藥品許可證字號。

11. 如果假藥包裝上也寫上「衛署藥輸字第……號」、「衛署藥製字第……號」、「衛署成藥字第……號」，該怎麼辦？

可上網查詢此藥品是否真的有衛生署核准字號（http：//203.65.100.151/DO8180.asp）。也可查詢該藥品目前是否有販賣假藥的情勢發生，及如何辨別真偽的相關資訊，如特殊的浮水印或標籤等（查詢網址：http://www.doh.gov.tw）。衛生署並提供檢舉不法藥物專用電子信箱：drug@doh.gov.tw及免付費服務電話：0800-058-828，以供民眾檢舉及諮詢。

12. 藥品用在西方或東方人有何差別嗎？

根據研究發現，肝臟代謝酵素具有多種變異性，如一級代謝酵素中的CYP2D6（代謝如codeine）、CYP2C19（代謝如omeprazole）等，在不同的種族間有不同的亞型分布，造成經此類酵素代謝之藥物，被代謝的速度在東西方人不一樣，也因此可能造成東西方族群的藥物使用劑量不同，為了避免將西方劑量套用在東方可能造成的劑量不適當，曾於民國八十二年七月七日實施七七公告，規定新藥必須在國內執行臨床試驗，後來又跟隨國際腳步，於民國八十九年十二月十二日發布雙十二公告，規定新藥應做銜接性試驗，以減少與國外重覆的臨床試驗。

13. 藥品要經過何種程序才可上市？新藥上市前大約會經過多少年？

藥品上市的審核非常嚴謹，根據我國藥品查驗登記的準則，藥品需經過動物藥效證實、動物毒理及藥物動力學試驗後，再進入人體臨床試驗之第一、二、三期研究開發完成後，經過衛生署藥政處審核核准後才可上市，這過程需歷經十至十五年不等。

14. 醫師作臨床試驗時，可不可能沒有告知病人就給予試驗用藥？

醫師有責任讓病人知道並瞭解所使用的藥品。在臨床試驗當中，醫師應該向病人解釋試驗的風險與可能的益處，並經病人簽署受試者同意書，才能進行臨床試驗；病人也可以在臨床試驗當中，隨時請求退出研究計劃。醫師進行臨床試驗，未得到病人的同意，是不合醫學倫理的。

15. 第四台一些補腎固精的廣告，衛生單位有何處罰辦法？

藥品廣告前，應將文字、圖畫或言詞，申請中央或直轄市衛生主管機關核准（違者處二十萬以上五百萬以下之罰鍰），每次核准一年，自核發證明文件之日起算。此外非藥商不得為藥物廣告（違者處二十萬以上五百萬以下之罰鍰），非藥物不得宣稱療效（違者處六十萬以上二千五百萬以下罰鍰），違反藥事法規，可由直轄市、縣市衛生主管機

藥品資訊

關處罰。

🐻16. 外國進口的保健品如果吃出副作用找誰負責？

經過衛生署核准的健康食品，應該有標準標章及字號。若是依據產品標示服用而發生不良反應事件，仍可就消費者保護法宣張自己的權益。

圖片來源：行政院衛生署

🐻17. 如果拿到大陸來的藥品，要如何辨識真偽？或有沒有大陸政府的認證？又該如何得到這方面的資訊？

可至藥物食品檢驗局資訊網查詢：中藥專區→透視大陸藥品網站查詢（http://www.nlfd.gov.tw）。

🐻18. 什麼是賦型劑？

不論何種劑型，藥品主成分以外的成分，包括溶媒、防腐劑、著色劑、界面活性劑、崩散劑、粘著劑、緩衝劑、矯味劑、抗氧化劑等，其目的為使藥品維持安定性及讓色澤或口味較佳。

🐦 19. 所有的錠劑都可以磨粉嗎？

並不是所有的錠劑都可以磨粉的。不建議將錠劑磨粉
的原因有以下二點：

(1) 錠劑可以減少藥品與空氣水氣的接觸，增加藥品的
穩定性，所以不建議預先磨粉。

(2) 有一些錠劑是特殊劑型，例如：緩釋錠是設計成
藥品緩慢釋出，拉長作用時間，磨粉會破壞設計原
理，使藥品在短時間內全部釋出，可能導致嚴重不
良反應或中毒。有些劑型是為了避免藥品被胃酸破
壞，或對胃腸的刺激，有的是設定在腸道作用，磨
粉會破壞原有的功能及目的。

🐦 20. 持續性藥效劑型的藥品大多用在哪種疾病？這種藥比較不傷胃嗎？持續性藥效劑型可由外觀來分辨嗎？

持續性藥效劑型的藥品主要是為了減少服藥次數，增
加用藥的方便性，在許多疾病用藥都有此類劑型，如
高血壓的Adalat OROS®、癲癇的Depakine Chrono®、抗
生素Klaricid XL®等藥品，也有是為了減少藥品毒性，
如Slow-K®。因為是緩慢釋放藥品，相對於一般劑型，
胃中游離的藥量少，因此可減少對胃刺激。持續性

藥效劑型不易從外觀分辨，但可從命名或廠商提供的仿單得知藥品劑型設計。

★補充：

一般的持續性藥效劑型設計主要包括：

(1) matrix：將藥品分散於基質中，藥品釋出是經由擴散出基質，或等基質溶蝕後釋出。

(2) reservoir：將藥品製劑用一層釋放速度控制膜包住，以控制釋放速度。

(3) osmotic：利用滲透壓使藥品緩慢自製劑中釋放。

所有持續性藥效劑型都不可以磨粉，matrix設計的藥品可剝半，其他兩種設計則不可剝半。

21. 除了特殊劑型還有沒有不適合磨粉後才服用的藥品？

其他不適合磨粉後才服用的藥品包括：

(1) 藥品本身為內含液體的軟膠囊，無法磨粉，如：Adalat cap（nifedipine）、 Convulex（valproic acid）。

(2) 藥品磨粉後氣味不佳，如：ciprofloxacin。

(3) 會造成口腔黏膜刺激（如：vinorelbine）、黏膜麻痺（如oxethazaine）、牙齒著色（如

phenazopyridine）等問題。

(4) 藥品有導致食道潰瘍的危險性，如：Fosamax
（alendronate）。

(5) 具細胞毒性的藥品在磨粉期間如果沒有保護措施，
可能對磨粉的人或環境造成危害，常見藥品如癌症
用藥、抗排斥用藥。

(6) 具致畸胎性的藥品可能對胎兒造成危害，可能懷孕
的婦女、孕婦應特別注意。常見藥品如癌症用藥、
影響雌激素或雄性激素的藥品。

22. 何謂口溶錠？

口溶錠（orally disintegrating tablets、orodispersible
tablets）是一種藉由添加水溶性賦形劑或崩散劑，達
到快速崩散效果的藥品劑型，放置於舌頭數秒內就可
快速崩散。

23. 口溶錠崩散後是否可以直接由口腔吸收？

口溶錠崩散後，仍需要以唾液或少量開水吞服，在胃
腸道中被吸收才會發生作用。

24. 哪些人適合使用口溶錠？

口溶錠適合年長、吞嚥困難、限制水分攝取、出門在

外不方便取得水的人服用。因為不必吞下整顆錠劑，於口腔崩散後，可以用開水也可以不用水就可吞服。

25. 口溶錠類藥品在管灌病人該如何使用？

將口溶錠放在少量水中，溶解後就可以經由餵食管給藥，不需要先磨成粉末。

26. 使用口溶錠有何特別注意事項？

口溶錠對溫度、溼度敏感，較一般劑型容易碎裂，通常做成個別包裝，服用前才取出、立即服用。如預先取出，排入藥盒或分包，易受潮、碎裂。口溶錠為使口感變佳，可能添加香料及甜味劑，必須小心存放，避免兒童誤食。

27. 什麼是發泡劑，有什麼作用？

發泡劑是指配方中含有發泡的成分，如：碳酸氫鈉與有機酸（酒石酸、檸檬酸）等，放置於水杯中，會產生化學變化釋出二氧化碳產生氣泡，使錠劑或顆粒迅速崩散，而將藥品溶於水中，口服後可以較迅速產生作用，另外也可改善藥品的味道。

28. 市面上有一些保肝藥，對 B 型肝炎帶原者有效嗎？

B肝帶原者應經過醫師診斷，依照醫師的建議服藥，不建議自行服用市售的保肝藥。

4

藥品與人體

🐻1. 一般吃藥後，藥品多久會發生作用？

視藥品特性及劑型而定。例如硝化甘油舌下錠數分鐘內即發生效果，一般速效劑型需半小時至一小時，緩釋劑型開始作用的時間會較晚。有的藥如bisacodyl腸衣錠需六至八小時才會發生作用。有的藥由於其藥效學特性，可能須數週才看到臨床症狀的改善，例如：某些抗憂鬱劑。

🐻2. 食物可以幫助藥品的吸收嗎？

特定藥品與食物併服，會提升藥品自腸胃道的吸收，如griseofulvin的吸收會因併服脂溶性食物而提高；itraconazole膠囊的吸收會因食物刺激胃酸分泌而增加；propranolol與食物併服時可降低first-pass effect，提高生體可用率（bioavailability）。

🐻3. 服藥時需要服大量水分嗎？

全身作用的藥品，其療效決定於藥品血中濃度，除非喝過量的水分，藥品濃度並不會因大量喝水而稀釋。水分的主要作用是幫助吞下藥品，適量即可；服藥時需大量喝水的主要原因如下：

(1) 減少藥品對於腸胃道的刺激性。

(2) 可以使藥品快速通過，減少藥品對於食道黏膜的傷害性。

(3) 增加水溶解度差的藥品在尿液中的溶解度。

4. 吃完藥後可馬上躺下嗎？

一般藥品服藥以後，並不需要特別注意。當藥品對於食道有侵蝕性時，就不適合一服藥後就躺下，如福善美，服藥後應該保持上半身直立半小時。

5. 膠囊吃下肚子多久會溶解？

一般膠囊為明膠製成，於胃中快速溶解；而腸溶衣膠囊則必須到腸道才崩散。

6. 藥理作用和臨床反應有何不同？

藥理作用是在實驗室中動物或試管中觀察的藥品作用，臨床反應是藥品在人體中實際發生的反應。臨床反應不一定能用藥理作用來解釋。例如：過敏反應就屬於非藥理作用的特殊反應。

🐻7. 口服藥一定會產生全身作用嗎？

絕大多數的藥品口服之後都會被腸胃道吸收，經由血液帶到全身。

少數藥品不容易被吸收，只能作用於消化道，如鎂鋁類制酸劑的主要作用為中和胃酸；可吸附水分、細菌、毒素之吸附類的止瀉劑等。

🐻8. 皮膚用藥可能造成全身作用嗎？

皮膚用藥不一定會有全身的作用。依藥品吸收到體內，進入全身血液循環量的多寡、體重、年齡不同而定。一個塗抹在皮膚上的藥品，經過皮膚吸收進入體內的量，可能在小孩身上因為他們的皮膚較薄，體重較輕，全身性作用就會明顯地出現，而相同的量進入成人體內，可能完全沒有作用。

🐻9. 藥品在體內如何作用？

人體內有許多受器（receptors），藥品可以和體內的受器結合，產生作用。但同類受器可能同時分布在不同器官或組織上，當藥品結合在目標器官時，就產生藥效；當藥品結合到其他器官組織時，就造成副作用。

🐚10. 藥的劑量加倍效果是不是加倍？劑量加倍對肝和腎會不會造成加倍的負擔？

藥品的劑量與血中濃度有線性與非線性之分，線性藥動學的藥品於線性範圍內之血中濃度與劑量成正比，非線性藥品的劑量與血中濃度不一定成正比，效果不一定加倍。而藥品血中濃度高時，肝腎負擔相對應增加。當劑量超過肝腎所能負擔時，藥品的血中濃度就會大幅上升，產生毒性。

🐚11. 藥品如何排出體外呢？

肝臟是藥品最主要的代謝器官，藥品經代謝後可轉變為水溶性較強的分子，其中代謝物分子量大於五百的代謝物可經膽道排出，分子量小於五百的代謝物則主要經腎臟排出。

🐾 12. 長效藥品會被排泄出人體嗎？

長效藥品可分為藥品本身作用時間較長，或因為特殊劑型而延長藥品作用時間，不論是哪一種，藥品最終都會被排除掉。

🐾 13. 藥品經由腎臟排泄，是不是加重腎臟的負擔呢？

藥品服用後，絕大部分的藥品及其代謝物經由腎臟排出，若藥品過量使用，的確可能增加腎細胞的負擔。

🐾 14. 藥品可以進入腦組織嗎？

腦部內皮細胞緊緊地結合在一起所組成的腦血管屏障（blood brain barrier；BBB）可以防止外來物質或多數藥品進入腦內。少數小分子或是脂溶性較高的藥品會通過腦血管屏障。

🐾 15. 為什麼有些藥品需空腹服用？

空腹服藥是指於用餐前一小時或飯後兩小時服用。
特定藥品與食物併服會妨礙藥品的吸收，降低藥品在身體內的濃度而減低藥效。例如：抗生素ampicillin與食物併服會大幅減少ampicillin的吸收而降低藥

效；牛奶中的鈣會與quinolone類抗生素（例如：ciprofloxacin、norfloxacin）或四環黴素類抗生素（例如：tetracycline）形成不溶性鹽類，而減少抗生素之吸收與療效，因此應避免與牛奶同一時間服用或應至少間隔兩小時。空腹時服用鐵劑可增加吸收量，若產生胃腸不適則可隨餐或飯後服用。

16. 為什麼有些藥品要隨餐服用？

隨餐服藥是指藥品與食物一起服用。有些藥品隨餐服用可以減少藥品對胃腸的刺激，例如消炎止痛藥。有些藥品最好搭配全脂牛奶或脂肪性或多油脂的食物一起服用吸收會更好，例如：魚肝油、維他命A、D、E與某些抗黴菌藥。

抗生素cefuroxime口服製劑與食物併服能增加它的吸收量與藥效。

17. 為什麼有些藥品會寫飯中服用？

飯中服用的主要目的為配合藥品開始作用的時間。常

見註明飯中服用的藥品是降血糖藥品，所謂的飯中服藥指的是隨餐服用或隨第一口飯吃下，而降血糖藥品要飯中服藥的原因包括：(1)避免病人服藥後忘記用餐，造成低血糖。(2)考慮藥品發生效果的時間約為半小時，剛好是吃完飯的時間就可以發揮降血糖效果。但為了病人用藥方便和便於記憶，也有與其他藥品一起於飯後服藥的用法。

18. 為什麼有些藥品要飯後服用？

飯後服藥，是指於飯後半小時至一小時服藥。
碳酸鈣錠於飯後服用可以增加鈣質口服吸收的程度。
胃酸過多時服用的鎂鋁類制酸劑，於空腹服用時，中和胃酸的效果大約只有半小時；如果飯後一小時服用，則可維持約二到三小時，所以一般建議飯後服用。

19. 含維他命E的膠囊可以咬破服用嗎？是否飯後吃比較好？

維他命E軟膠囊到腸胃道會自然消化吸收，且維他命E並無迅速作用的療效需求，再加上咬嚼的口感不佳，實在沒必要咬破服用。維他命E為脂溶性維生素，建議應在飯後服用，吸收較佳。

20. 如果醫生開的藥需一天吃四次，分三餐飯後和睡前，但若是三餐不定時，會影響藥品的吸收嗎？

多數藥品的吸收不受食物影響。但請盡量依照指示固定時間服藥，若空腹時服藥，請喝足夠的水或是吃一些小點心以避免胃腸不適。

21. 每六小時服用一次的藥品，睡覺期間是否需要刻意起床服藥？

每六個小時服藥的目的是維持穩定血中濃度，抗生素類藥品最好照時間服用以保持穩定血中濃度，一般建議於早晚五、十一點服藥，但除非特別強調一定要每六小時給藥外，不需要刻意起床服藥，以免降低病人服藥順從性。

22. 如果某一種藥需睡前及餐後服用，晚餐太晚吃時，睡前是否仍需服用？

若晚餐太晚吃造成晚餐後和睡前兩次服藥時間太接近，除非醫師指示，否則不建議睡前再服用。

🐻 **23.** 原本一天吃一顆的藥，可以變成隔兩天一次吃兩顆嗎？

不建議，藥品有一定的服用頻率，將一天服用一顆的藥品改為兩天服用一次，第二天的藥品血中濃度可能過低，而無法產生效果。一次服用兩顆，可能因血中濃度太高而產生毒性。

🐻 **24.** 為何有些藥品會整粒從糞便中排出？

因為有些藥粒製作原理是將藥品鑲嵌在臘質的基質內，當藥品溶解出後剩下無作用的臘質基質的空殼，會隨糞便排出。

🐻 **25.** 阿斯匹靈（aspirin）為何會傷胃？市面上有腸衣劑型 aspirin 嗎？

Aspirin會影響前列腺素的生理作用，阻斷前列腺素對胃部的保護作用，故aspirin會傷害胃部。為了減少腸胃的刺激，有些廠商將aspirin 製作成腸衣劑

型，如Bokey®。但是否能達到保護胃的效果，並不確定。

26. 腸衣錠可否與制酸劑或牛奶一起吃？

腸衣錠原本的設計即為在胃酸的環境不溶解，到了腸道鹼性環境才溶解並釋出藥品。制酸劑或牛奶會改變胃的酸鹼值而使腸衣錠提早被破壞，所以不可以與制酸劑或牛奶一起服用。

27. 藥品由血管注射效果比較快？還是口服比較快？

經由靜脈注射較快。因為靜脈注射的藥品不需經過腸胃道吸收的步驟，直接進入血液循環中。

28. 可不可以將口服藥溶於水後用來注射？

不可以。口服藥與注射劑的設計概念不同，注射劑的設計必需考慮到無菌度、賦形劑、滲透壓、溶解度、刺激性等條件。

29. 生病打針，效果會又快又好嗎？

藥品的藥效出現之快慢，取決於藥品及製劑的特性。

施打注射劑屬於侵入性醫療，不見得又快又好，可能出現肌肉或血管局部疼痛或注射感染等問題。

🐾30. 打針引起的不良反應或副作用會比口服大嗎？

注射藥品引起的不良反應或副作用可能來自注射技術本身，也可能來自藥品。比起口服，注射較容易產生感染問題，且可能對血管或肌肉產生局部的不良反應。來自藥品本身的不良反應或副作用，則決定於藥品的特性。

🐾31. 肌肉注射可能傷到神經嗎？

有可能；肌肉注射 IM 時下針角度、選擇注射部位及深度都會影響肌肉注射的正確性。如一歲半以下的小孩因肌肉發育不足，只能打大腿中段外側的肌肉，以免傷到神經。故肌肉注射一定要由合格的醫師或護理人員執行。

🐾32. 腰酸背痛想買貼布時，該如何選擇？

腰酸背痛最重要的是要減少酸痛部位的張力，充分休息或熱敷按摩均可以緩解酸痛。如果要使用含藥的貼

布，可以選擇含有非類固醇類抗發炎藥（NSAIDs）為主成分的產品。

33. 貼片為何會引起過敏反應？

不同的貼片由不同的配方組成，有時其中的賦形劑可能引發皮膚過敏。

34. 貼片造成過敏的狀況該怎麼辦？

原則上不適合再使用，建議改換其它廠牌、改用口服或其他製劑。

35. 一般外用止痛貼布應該如何使用最恰當？

一般止痛貼布建議於患部清潔後或洗澡後使用，由於洗澡後的肌膚角質層較薄且軟、含水量較高，貼布的藥效吸收較快，因此可以使藥品達到最好的效果。貼布使用的時間約四至六小時，貼過久不會有更長的作用時間，且容易導致皮膚搔癢或起紅疹等過敏反應。

36. 退燒栓劑是何成分？為何可退燒？

退燒栓劑的成分是非類固醇發炎抑制劑，簡稱NSAIDs，NSAIDs可以抑制體內一種叫作COX的酵素，

進而抑制前列腺素生成而退燒。

37. 栓劑應如何保存？

視基劑成分而定，如基劑為PEG，則可保存於室溫陰涼乾燥處。如為可可脂，則需冷藏。

38. 栓劑和吃藥那個退燒效果好？

一般發燒會先用口服退燒藥較為方便，若無法退燒或是小朋友無法服藥才會加上退燒栓劑，要特別注意的是腹瀉時不適合使用栓劑。

39. 沒發燒時也要每四個小時使用一次退燒栓劑嗎？

因為退燒藥是症狀解除用，故退燒後不需再持續給藥。

40. 退燒栓劑塞了沒效，多久可以塞第二劑？

退燒栓劑兩劑間隔應視藥品特性而定，若使用栓劑後仍高燒不退，應立即就醫。

41. 陰道栓劑吃下去會對身體有影響嗎？

有些陰道栓劑是錠劑形式，只是溶離的速度較錠劑緩慢，醫師可能將其做為口含錠，治療口腔黴菌感染，吃下去不會對身體有影響。有的陰道栓劑以聚合物為基劑，通常吃下去會有油油的感覺，吃一次不會影響到健康，除非是大量服用或此種藥品有嚴重的副作用，使用藥品前應先看清楚給藥途徑較安全。

42. 肛門或陰道栓劑未使用前即已融化變形，該如何處理？

一般肛門或陰道栓劑設計為人體溫度下融化，然而臺灣地處亞熱帶地區，天氣較悶熱，栓劑有可能在室溫狀態下即融化變形而不易使用；因此建議將融化的栓劑於去除外包裝前放入冰箱冷藏約30分鐘，或置於冷水中使之變硬後再使用。

43. 什麼是藥品耐受性？

「耐受性」是指藥物連續多次應用於人體，其效應逐漸減弱，必須不斷地增加用量才能達到原來的效應，譬如本來吃十毫克有效，現在要吃二十毫克才有效。較易產生耐受性的藥物有鎮痛藥的嗎啡、催眠藥的巴

比妥類等等。

44. 藥品耐受性跟劑量有關嗎？

耐受性指的是要達到相同效果，必須使用更大的劑量。產生耐受性可能來自於受器（receptors）減少，或身體將藥品加速排除。如使用硝化甘油貼片時，必須間隔七個小時，使必要的酵素恢復，否則就無法再產生效果。一般耐受性產生與劑量多寡無絕對關係。

5
藥能治病也能致病

1. 您知道藥師在交付藥品之前，做了哪些保障用藥安全的服務呢？

當您持處方箋到醫院或社區藥局領藥時，藥師須先核對處方箋上的藥品是否與診斷相符，以避免有誤；確認藥品的劑量、使用方法，及是否存在可能的交互作用，以避免服藥過量／不足或用法錯誤，同時降低藥品交互作用發生的可能；藥師調劑時會先核對藥品，再次核覆所調劑的藥品與數量是否正確無誤；最後將藥品交付給您時，藥師會確認您的身分，避免給錯病人，並提供相關的用藥資訊。

2. 藥能治病也能致病，該如何保障自身用藥安全？

第一次用藥的時候必須請教醫師或藥師為什麼要服用此藥，確認藥品的名稱、作用、正確用法、何時開始發生作用、需要服用多久、可能的副作用、特別注意事項。在就醫或至藥局購買成藥／指示藥時，提供醫師與藥師您的病史、曾經發生過的藥品過敏或不良反應，正在使用的藥品，是否抽菸喝酒，已經懷孕、哺乳或打算懷孕等訊息。服藥期間若有任何不尋常的反應務必告知醫師或藥師。

3. 就醫時要不要拿目前用藥給醫師看當作參考？

當民眾給不同醫師看診時，往往因為醫師不知其他用藥，而造成重複用藥或處方會造成交互作用的藥品，而威脅病人用藥安全。建議民眾看診時應告知醫師目前用藥，且為了避免記錯藥品，最好將藥品或藥袋給醫師看。另外，日常使用的保健食品或中草藥也可能引起交互作用，故民眾也應該告知醫師目前使用哪些中草藥或保健食品。

4. 就醫後，在服藥期間如出現不尋常的症狀該怎麼辦？

請務必告知醫師或藥師，他們會評估您的狀況，並提供適當的建議。就醫後所領回藥品的藥袋上，有醫療院所或藥局的聯絡資訊，您可以依照上述所列之聯絡方式，諮詢相關醫療人員，也可至住家附近的診所或社區藥局請求醫師或藥師的協助，切

勿因出現不尋常症狀而自行決定是否停藥。

5. 可預期副作用和不可預期副作用有何差別？

藥品在開發研究中陸續會了解此藥品可能發生的副作用，並可自藥品的藥理作用推估其他可能發生的副作用，這些稱為可預期的副作用。而不可預期的副作用通常發生率低、難以預防、且發生的嚴重度無法掌握，例如：特異性過敏反應等。

6. 可預期的副作用是否都是負面的？

所謂副作用即是治療用途以外的藥理作用，通常都是負面的。但是少數副作用也有正面功能，如落健即是利用某一高血壓藥的副作用達到生髮的目的。

7. 藥量太多時副作用會不會增加？

藥量太高會增加藥品發生副作用的可能性，或增強藥品發生副作用的程度（dose-related side effect）。

8. 長期服用藥品是否會對骨骼產生副作用？

視藥品的特性而定，如長期使用類固醇可能會造成骨質疏鬆及骨壞死。

9. 有些避孕藥吃了會嘔吐、頭暈，是不是副作用？要不要繼續吃？

(1) 口服避孕藥引起的噁心嘔吐在早晨空腹服用時較易發生，如果與晚餐一起服用可以減少此問題，此副作用會隨長期服用而減少。請醫師改用雌性激素較少或只含黃體素的避孕藥可能可以減少此副作用。如果於服藥後1小時內嘔吐，還必須補吃。

(2) 較少口服避孕藥引起頭暈的報導，有引起頭痛的情況，如果頭痛一再發生或嚴重，則應就醫。

10. 因動手術而使用麻醉管制藥，會造成成癮性、記憶衰退等副作用嗎？

動手術使用的麻醉劑只是短期使用，不會造成成癮性或永久記憶退化的副作用。

11. 藥吃多了，對肝臟有無壞處？

首先需確認用藥的必要性，如果有必要用藥，例如治療肺結核的藥品，如isoniazid與rifampin，即使有可能對肝臟有影響，但在醫師監測下使用，絕大多數不會有問題；發生任何不良反應，醫師也會立即處置。不

治療或自行換藥卻有可能導致肺結核治療失敗，要使用毒性更大的藥品來治療。

相反的，隨便服用親朋好友介紹或電臺廣告成分不明的補品、保健品、中草藥等，對肝腎的傷害更無法掌握。

12. B型肝炎帶原者肝功能指數正常時，服藥也要小心嗎？

B型肝炎帶原者較非帶原者受到藥品影響的可能性較高，有些藥使用時或停藥時可能使肝功能急速變化。此外，B肝帶原者的肝功能也容易波動，不易與藥品副作用區分，故服藥也要更加小心。

13. 猛爆性肝炎和 acetaminophen 有關嗎？

病毒性肝炎（包括A、B、C、D、E 型）、藥品、補品或偏方、酒精等都是引發猛爆型肝炎（Fulminant hepatitis）的常見原因。而許多止痛藥都含有 acetaminophen（乙醯胺酚），過量時也會對肝臟造成傷害，因此肝功能不良的患者應小心使用。Acetaminophen在治療劑量下，曾有於酗酒成人及幼兒造成猛爆性肝衰竭的案例。

🌀14. 肝毒性和腎毒性是否會有病徵？

(1) 輕微的肝毒性有時只有肝功能指數增高，病人無法自覺，需要抽血監測。有較顯著的肝毒性時，病人可能會感到疲憊、食慾不振、腹脹、噁心、嘔吐、水腫等。如果有較明顯膽管問題時，可能有茶色尿、皮膚及眼睛鞏膜變黃。

(2) 輕微的腎毒性有時只有腎功能指數增高，病人無法自覺，需要抽血監測。有較顯著的腎毒性時，病人可能會感到疲憊、食慾不振、噁心、嘔吐、水腫、尿量減少等。

🌀15. 何謂耳毒性？

藥品造成耳鳴、聽力降低或喪失，或影響前庭神經，使得平衡受損都是具耳毒性，常見造成耳毒性的藥品如aminoglycosides類抗生素及利尿劑furosemide。

🌀16. 何謂腎毒性？

腎毒性指藥品對腎臟的腎小管或間質等造成傷害，以致於腎臟的功能降低，比如：尿失禁、結晶尿、尿崩症、出血性膀胱炎、間質性腎炎、腎病（nephropathy）、腎病症候群、阻塞性尿路疾病、腎

功能不良、腎小管酸化症、腎小管壞死等。

17. 為何會發生藥品中毒？怎樣可以預防？

可能引起藥品中毒的原因很多，例如服藥過量（用量超過或重複用藥）、併服其他藥品（藥品交互作用或藥物禁忌）、小孩誤食大人藥及吃錯藥、開錯藥、配錯藥等。預防的方法：應該在服藥前看清楚用藥指示與說明，藥品存放在小孩接觸不到之處。藥品保存時應標示清楚，且將藥品保留於原藥袋內至用完為止。如果還有不明瞭處，建議詢問藥師。

18. 藥品中毒是否有解藥？

有些藥品中毒有拮抗劑、螯合劑或中和劑等做為解藥，如嗎啡類的藥品可用naloxone拮抗，鐵劑可用deferoxamine，重金屬中毒可用螯合劑，digoxin可用Digibind解毒。有些藥品中毒需使用透析或血液過濾來去除，或用支持療法。

★補充：
可參考毒藥品防治發展基金會之網站
（http：//www.pcc.vghtpe.gov.tw）

🐟 19. 藥品不良反應（ADR）之定義？

以美國FDA對藥品不良反應之定義為依據，係指發生在人體之任何與藥品使用相關的不良反應事件，包含下列之情況：

(1) 在醫療行為下，藥品使用過程所發生的不良事件。

(2) 因為意外或蓄意導致的藥品劑量過高，所發生的不良反應事件。

(3) 因為藥品濫用所導致的不良反應。

(4) 因為停止使用藥品所導致的不良反應。

(5) 任何可預期的藥理作用所引起的嚴重治療失敗。

🐟 20. 若有藥品不良反應事件發生，應該由誰去通報？

醫療人員、廠商以及民眾發現上市後藥品發生藥品不良反應時，可填寫藥品不良反應通報表格，以郵寄、傳真或網路線上通報的方式向全國藥品不良反應通報中心通報（http：//adr.doh.gov.tw）。醫療機構及藥局應於得知發生死亡或危及生命之嚴重藥品不良反應之日起七日內向全國藥品不良反應通報中心通報，並通知持有藥品許可證之廠商。

藥能治病也能致病

21. 藥袋上有寫和某些食物有交互作用，是真的有影響嗎？

舉凡西藥、中藥、保健食品、食物等，都有可能產生藥品交互作用。有的交互作用輕微，有的可能造成毒性或治療失敗。因此，應按照指示避免併用和藥品有交互作用的食物。

22. 有交互作用的藥品要錯開多久服用？

藥品交互作用機制非常複雜。有的交互作用是兩種藥在腸道內發生化學反應，如胃藥與四環黴素，間隔服藥時間可以避免交互作用。有的交互作用是藥品吸收到體內才發生，注射藥與口服藥都可以產生作用，影響範圍包括分布、代謝、排出，及藥物療效或毒性，間隔服藥時間並無法完全避免交互作用。若藥品半衰期長，交互作用影響時間也長；若其中有酵素刺激劑或抑制劑，交互作用時間也可能持續一段時間。

23. 交互作用在時間久了以後是否就會消失？

藥品停藥後逐漸排出體外，交互作用可能隨著藥品排除後而消失。如不停藥，交互作用會繼續存在。如果有因藥品交互作用產生的不良反應，輕者可以在停藥後恢復或甚至可以繼續併服兩個藥物。重者則有可能造成無法復原的傷害。

24. 服用攝護腺肥大的藥品，是不是就不要吃高血壓的藥了？

治療攝護腺肥大常用的甲型交感神經接受體阻斷劑（α-blocker），會造成姿勢性低血壓之副作用，和降血壓藥併用可能導致血壓過低。民眾就醫時請告知醫師正在服用的藥品，由醫師進行評估與調整，或改用對攝護腺選擇性較高的藥品（tamsulosin、alfurosin）。

25. 攝護腺肥大者，吃了暈車藥會有何問題？

常用的暈車藥主要是第一代抗組織胺類藥物或抗膽鹼類藥品，此類藥品可能會增加病人排尿困難，尤其是在攝護腺肥大病人身上更易發生。

🐾26. 降血壓藥與感冒藥可以併用嗎？

一般感冒藥的組成大致是：解熱鎮痛劑、止咳化痰、抗組織胺或鼻充血解除劑等。感冒藥中的解熱鎮痛劑可能會降低降血壓藥的療效；鼻充血解除劑中的交感神經刺激劑，也可能減少降壓藥的作用。

🐾27. 糖尿病的藥能跟一般感冒藥一起吃嗎？

感冒糖漿含有糖分，有些還含有酒精，可能影響血糖的控制，有糖尿病的人應避免服用糖漿製劑。

🐾28. 鎮痛解熱劑和食物一起吃，會影響效果嗎？

食物不會顯著影響鎮痛解熱劑的藥效，但非類固醇類消炎劑（NSAID）及阿斯匹靈不建議與酒精併用，以免增加胃部出血的風險。

🐾29. 藥品可以和牛奶一起服用嗎？

原則上服藥時，最好以開水服藥。有些藥會與牛奶中的鈣結合形成不溶性物質，進而影響藥品療效，例如：牛奶會減少四環素之吸收，降低四環素的療效，建議與牛奶或其他乳製品間隔兩小時以上服用。腸衣

劑型的藥品與牛奶併用，可能會導致腸衣提早在胃中溶解，使藥物失效及對胃產生刺激。例如：Bisacodyl（商品名：Dulcolax®）之腸衣錠，服藥一小時內應避免併服牛奶或制酸劑。

🦁30. 咖啡因對藥品有何影響？

咖啡因具有中樞神經興奮作用，如果您同時使用鎮靜安眠藥品（如benzodiazepine類藥品）時，咖啡因會降低其鎮靜安眠效果。咖啡因可能會加強其他藥品興奮神經的作用。

🦁31. 那些藥不可和葡萄柚汁併服？

葡萄柚汁中含有一種類黃酮成分 naringin，會抑制CYP3A4酵素，和p-glycoprotein等，影響藥品的吸收與代謝。與葡萄柚汁有交互作用的藥品不下數十種，例如：鈣離子阻斷劑、statin類降血脂藥品、巨環類免疫抑制劑、麥角鹼衍生物、某些鎮靜劑等。

32. 有些藥不可和葡萄柚汁併服，葡萄柚汁和藥品要間隔多久？

葡萄柚汁會抑制代謝酵素作用，需要相當一段時間才能恢復。葡萄柚汁與藥品同時服用或先喝葡萄柚汁再服藥都會有交互作用，有時交互作用可能造成嚴重後果，服藥期間應避免喝葡萄柚汁。

33. 葡萄柚會影響藥品代謝和吸收，那其他的柑橘類水果如柳丁、椪柑呢？

目前沒有足夠的證據顯示其他柑橘類食物會顯著影響藥物代謝，但針對不同病人狀況和藥品吸收特性，可能有不同限制。詳細交互作用情形需視個別藥品而定。

34. 胃乳片和其他藥一起磨粉吸收會更快嗎？

(1) 將胃乳片磨粉可增加與胃部接觸面積而加速作用，然而一般藥品磨粉，雖然也可能因增加藥品與腸胃道接觸面積而加快作用速度，但對於特殊劑型設計的藥品而言，卻反而可能影響療效或造成毒性，如：

A. 腸衣錠藥品磨粉後可能對上消化道造成刺激，或藥品可能被胃酸破壞。

B. 緩釋錠藥品可能突然釋放過多劑量而造成毒性。

(2) 另外，服藥時不一定要搭配胃乳片，如鐵劑或部分抗生素若與胃乳片併用可能影響藥效。若因胃部問題一定要服用胃乳片，則應視藥物特性，考量將胃乳片與其他藥品分開使用。

35. 服用鐵劑時該注意什麼事項？

一般建議鐵劑於空腹時服用，主要是因為鐵劑在酸性環境下吸收較好。胃藥一方面會降低胃中酸度，一方面含有鎂、鈣、鋁等金屬鹽類，會降低鐵劑吸收達百分之三十至四十，故不建議將鐵劑與胃藥或含上述金屬鹽類之藥物併用（如鈣片）。若因鐵劑造成腸胃不適，可於飯後服用鐵劑，但要注意食物應避免同時食用蛋、乳製品或高纖維食物，以免降低鐵劑吸收。高劑量的維他命C可增加鐵劑吸收。

36. 為什麼吃藥時最好不要喝茶？

茶葉中含有單寧酸，會與藥品中的重金屬、生物鹼或蛋白質結合產生沉澱，進而影響藥品的效果，故不建議用藥時以茶配藥。茶葉內所含的咖啡因具有刺激作

用,可能會加強其他藥品興奮神經的作用。而如果您同時使用鎮靜安眠藥品時,咖啡因則會降低其鎮靜安眠作用。此外綠茶富含維生素K,可能會影響warfarin的抗凝血效果,如需攝取也應建議病人定時定量,同時監測 INR(國際標準凝血時間比)。

37. 我長期吃中藥保養,如果又恰巧要吃西藥時,需間隔多久?

中藥也會和西藥發生交互作用:如銀杏會抑制血小板活化因子,和抗凝血劑併用時,可能增加出血風險,間隔服藥時間也無法避免。目前中藥與西藥交互作用的資料較為缺乏,為了用藥安全,不建議併服中、西藥。

38. 銀杏可與西藥併服嗎?

目前的研究顯示,銀杏會影響抗凝血劑、利尿劑

（thiazide）、抗癲癇藥、
抗憂鬱藥（SSRI）、非類固
醇消炎藥等藥品之療效與
副作用，故不建議與上述
藥品併用。

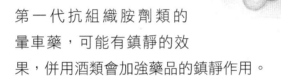

🐚39. 酒類是否會加強暈
車藥的作用？

第一代抗組織胺劑類的
暈車藥，可能有鎮靜的效
果，併用酒類會加強藥品的鎮靜作用。

🐚40. 飲酒會加重 acetaminophen（乙醯胺酚）
中毒的危險嗎？

研究顯示長期飲酒會誘導酵素CYP2E1，加速
acetaminophen的肝毒性代謝物NAPQ1（N-acetyl-p-
benzoquinoneimine）的產生，升高肝毒性風險。有酒
癮者服用一般建議劑量時就容易產生肝毒性。（一般
建議acetaminophen每日服用劑量不應超過四克）

藥能治病也能致病

41. 那些藥不可以和酒精併用？

酒精本身具有鎮靜作用，會增加其他藥品的鎮靜效果，所有具有鎮靜效果的藥都不可以和酒精併用。

42. 硝化甘油（nitroglycerin）為何不能與威而鋼同時服用？

硝化甘油藉由增加cGMP的濃度使血壓下降；而威而鋼經由抑制PDE的作用，使得cGMP濃度上升，使血管擴張。兩者併用會有血壓過低的危險。因此硝化甘油與威而鋼併用屬於用藥禁忌。

43. 藥品過敏和藥量多寡有關嗎？

過敏反應基本上與藥量多寡無關，對一個藥品過敏，只要少量藥品就可引起反應。但藥量較多時血中濃度較高，症狀可能較嚴重。

44. 藥品過敏的典型症狀有哪些？

可能引起過敏的藥品很多，其症狀主要包括急性的過敏反應（如：血壓降低、呼吸急促、氣喘等）、或皮膚疹、皮膚炎、腎炎，乃至於會致命的過敏性休克等。一般急性的過敏反應可能停藥後就消失，如為必

要使用的藥品，可使
用抗組織胺、類固醇
等藥品預防。

 45. 藥品過敏是否停
藥就會消失？

輕微的藥品過敏可能
停藥就會消失，如皮
膚起紅疹。但有些嚴
重的過敏反應需要立
即處置，以免危及生
命，如過敏性休克及
史帝文‧強生症候群（Stevens-Johnson syndrome），
會波及許多器官，也可能會持續惡化。

46. 民眾如何知道自己對什麼藥品過敏？

民眾應記錄自己服用藥品的藥名、藥量，當服用藥品
後或在服用藥品期間身體發生不適的症狀如：皮膚
炎、皮膚疹或其他反應，應尋求專業人員的協助，以
了解是否是藥品引起之過敏反應。

47. 服藥兩三天後過敏才發作,怎麼判斷是藥品過敏?

醫師及藥師會根據病患的症狀及服用藥品的情形,再考量藥品的特性做出判斷。

48. 現在不會導致過敏的藥品,是不是代表以後都不會對此藥品過敏?

如果此藥品已服用一段時間都未出現過敏症狀,下次再服用此藥品發生過敏的機會應該很低。但如因體質或環境的改變,仍有可能發生。

49. 電台販賣的藥品聽起來功效卓著,且有主持人強力推薦,可以安心購買嗎?

衛生署藥政處核可的藥品只能在藥局販售,電臺販售的「藥」多半誇大不實且宣稱療效,過去查獲產品中添加西藥或摻雜違禁藥品的案件時有所聞。因此,身體不適應至醫院求診,或是到藥局購買成藥、指示藥,切勿聽信廣告購買來路不明的產品。

50. 親朋好友與您有相同的症狀，可以服用他們的藥品或購買相同的藥品來控制疾病嗎？

不可輕易服用他人的藥品或購買相同的藥品。藥品應該根據個人的狀況並在醫師或藥師建議及監督下使用。雖然是相同的症狀，但造成病症的原因可能不同，且藥品對不同年齡及體質的病人，會造成不同的影響。

鎮痛、解熱、
鎮暈與感冒藥

1. NSAIDs 跟一般消炎藥有何不同？

NSAIDs中文名稱為非類固醇類抗發炎藥，作用為止痛、退燒、抗發炎。過去有人將治療細菌感染的抗生素稱為消炎藥。為避免誤解，請勿再將抗生素稱為消炎藥。

2. 請問哪種消炎止痛藥比較不傷胃？

(1)非類固醇類抗發炎藥藉著抑制環氧酵素的作用達到消炎止痛的效果。環氧酵素簡稱COX，可分為COX-1及COX-2兩種型態，傳統非類固醇抗發炎藥可同時抑制COX-1及COX-2。COX-1受到抑制時容易引起腸胃黏膜損傷，非類固醇類抗發炎藥品本身也有可能直接傷害胃黏膜細胞，故可能引起胃出血。

(2)選擇性抑制COX-2的非類固醇類抗發炎藥較不傷胃。不過有些研究指出在心臟病、中風的相對危險性較服用安慰劑之病患高。

3. 非類固醇類止痛藥若是腸衣錠就不會傷胃嗎？

腸衣錠的止痛藥到腸道才釋出藥品，可以減少對胃部的刺激性。然而，因非類固醇類止痛藥會抑制對胃部

有保護作用的前列腺素（PGE）的產生，故腸衣錠仍無法完全避免對胃部影響。

4. Mefenamic acid 會有何作用？

Mefenamic acid是一種非固醇類消炎劑，可以用來消炎、止痛及退燒，一般可用在生理痛、手術後傷口的疼痛及一些肌肉骨骼的疼痛。一般不建議用超過七天。跟其他的非固醇類消炎劑比起來，mefenamic acid比較容易造成腹瀉及腸胃道出血等副作用。

5. 消炎止痛劑是否都會傷胃？忘了在飯後吃怎麼辦？需要請醫師加胃藥嗎？

消炎止痛劑可能刺激腸胃道造成腸胃不適，與食物一起服用可以減少不適的感覺。飯後如果忘了吃藥，可以在想起來的時候立即服用，並藉著多喝水或吃些點心，來減少藥品對腸胃的刺激性。通常不需要加胃藥。

6. 吃止痛藥造成胃不舒服的人可不可以改用打針？

基本上可以口服的病患並不建議使用針劑，如服用止

痛藥會發生腸胃不適,應先調整用藥時間隨餐服用或併服胃藥,如果未有改善可請醫師更換較不會造成胃腸不適的藥物,如 COX-2 抑制劑或腸溶劑型的藥品。

7. 止痛藥是否對所有的痛都有效?

非類固醇類的止痛藥主要是用於肌肉骨骼的疼痛、一般頭痛及生理痛。嗎啡類的止痛藥效果很強,一般使用於癌症疼痛或非類固醇類的止痛藥無法控制的疼痛。一般而言這兩類藥品對於神經痛都沒有太大用處。對於神經痛可能需要用到三環類的抗憂鬱劑或其他癲癇用藥。

8. 止痛劑會不會傷腎?

非類固醇消炎止痛藥最嚴重的副作用之一,就是會造成腎臟衰竭,較易導致腎衰竭的危險因子為:長期服用大劑量止痛劑或同時服用其他腎毒性藥品的患者、

腎功能有問題者、老年人,以及患有心臟病、糖尿病等影響腎臟功能的疾病。這些人在長期服用止痛藥的時候應該要監測腎功能。

9. 打止痛劑的針劑能像電解質一樣拿來口服嗎？

不建議如此使用，常用止痛劑可分為口服藥及針劑兩種，一般而言口服藥的止痛效果相當不錯，且針劑較口服藥品昂貴，沒有必要以針劑代替口服藥品。

10. 雷氏症候群有哪些症狀？

罹患雷氏症候群初期會有嘔吐伴隨恍惚、肝臟傷害、低血糖，通常很快會進展到抽筋和意識不清的情況，死亡率高達百分之五十。研究發現雷氏症候群通常發生在十五歲以下的小朋友，可能與流行性感冒或是水痘發生時，服用阿斯匹靈或水楊酸類藥品有關。因此避免使用阿斯匹靈為小孩退燒。

11. 長期服用阿斯匹靈會不會造成貧血？

長期服用阿斯匹靈可能造成體內出血，而導致貧血及血紅素降低。服藥期間如果發現不明原因的瘀血、血流不止、血尿、黑便等現象應該立即就醫。

12. 阿斯匹靈為什麼會影響腎功能？

阿斯匹靈是一種非類固醇類抗發炎止痛藥，會抑制前

列腺素的合成，而前列腺素則與腎臟入球動脈擴張有關。腎臟組織缺乏血流，可能導致腎功能不良。

13. 服用阿斯匹靈或普拿疼可以喝酒嗎？

不建議。阿斯匹靈與酒併用可能會造成腸胃道出血；長期喝酒者服用普拿疼較容易造成肝功能異常或肝臟傷害。服用普拿疼時請不要喝酒。

14. 服用阿斯匹靈期間可以拔牙嗎？

因為阿斯匹靈會抑制血小板凝集而導致出血的副作用，服用阿斯匹靈者要進行手術或拔牙前，必須先停藥七至十天，以避免手術時大量出血。

15. 阿斯匹靈和普拿疼的作用有何不同？頭痛服用何者比較有效？

(1) 低劑量的阿斯匹靈具有止痛、退燒作用，高劑量的阿斯匹靈則有抗發炎的效果；而普拿疼則只有止痛與退燒作用，無抗發炎的效果。

(2) 視病人個別的反應以及頭痛的原因而定，真正的頭痛有一定的治療方法，單獨服用阿斯匹靈或普拿疼不一定有效。

16. 普拿疼加強錠是什麼？

普拿疼加強錠是一種複方藥品，內含acetaminophen 五百毫克與caffeine anhydrous 六十五毫克，其中 caffeine可以藉由收縮腦血管來加強acetaminophen的 止痛效果以治療頭痛。

17. 普拿疼會不會傷肝？服用後是否有失眠的 問題？

服用過量的普拿疼（acetaminophen）可能造成肝 細胞壞死，引起肝衰竭；一般建議成人每天劑量不 超過四克，慢性中毒特別易發生於酒癮的病人。 Acetaminophen本身應不至引起失眠，可能是服用含 有咖啡因的普拿疼複方藥品所引起的。

18. 普拿疼可否給蠶豆症者服用？

蠶豆症的正式醫學名稱為「葡萄糖－六－磷酸鹽脱氫 酵素缺乏症候群」。患者的紅血球裡缺乏「葡萄糖－ 六－磷酸鹽脱氫酵素」，當身體接觸到某些成分或化 學藥品時，可能發生溶血反應。曾有文獻報導蠶豆 症病人服用acetaminophen（普拿疼）後發生溶血現 象。所以蠶豆症患者看病用藥時需主動告知醫師及藥

師自己有蠶豆症，絕對不可隨意服藥，所有的藥品都應該經過醫師處方，才能保障自己的安全。

19. 長期服用普拿疼，會不會影響腎功能？

有案例報導使用普拿疼可能會增加腎臟衰竭的發生，但是發生率很低。照正常劑量服用通常不會有太大問題。但是不建議長期服用。

20. 頭痛時吃一天藥就好了，需要繼續服用嗎？

如果症狀消除就不需要繼續服用。若有服藥無效，頭痛型態改變，伴隨噁心、嘔吐、視力問題等不尋常的現象時請立即就醫。

21. 手術後打止痛針很有效，是否必要？

手術後是否需要打止痛針，需視手術種類而異。手術後的止痛藥，可以使病人平靜，不會影響傷口的復原，而且病人可以提早下床活動，增加傷口復原速度，減少血栓形成的機率。

🦦22. 手術後自控式止痛，是用那一類藥品？

自控式止痛一般是給予嗎啡類的藥品。

🦦23. 何謂病人自控式止痛法 (PCA)？

PCA全名是Patient-Controlled Analgesia，譯意即為病人自控式止痛法。PCA的設計理念來自病人最瞭解自己的疼痛。PCA是一種透過電腦輔助的用藥方式，藉由按鈕裝置允許病人自行控制止痛藥的使用。PCA的應用分為醫師（提供者）、病人（使用者）及儀器三部份。

(1) 提供者主要控制止痛藥的選擇（如選擇何種鴉片類止痛藥），給予的劑量，給予止痛藥的方式（如靜脈注射、皮下注射、脊椎注射等），及控制「鎖定時間」和「四小時限制」的操作。

(2) 使用者則可控制藥投予的時間，當病人覺得疼痛開始或遽增時，便可按下「床邊按鈕」。

(3) 儀器可提供不同劑量的選擇、給藥的模式及控制參

鎮痛解熱鎮暈與感冒藥

數。給藥的模式有持續滴注及間歇劑量兩類，兩者多合併使用；控制參數有「鎖定時間」及「四小時限制」二種操作設定。

24. 病人自控式止痛法會不會導致藥物濫用？

PCA的儀器有「鎖定時間」及「四小時限制」二種操作設定。

(1)「鎖定時間」的定義指在設定時間裡，止痛藥的投予量是被限定的。舉例說明，每當病人按一次「床邊按鈕」時，儀器便會記錄為「需求」，而儀器做出回應送出間歇劑量時為「投藥」，若「鎖定時間」為十五分鐘，而病患在這段時間內按三次「床邊按鈕」，則有三次「需求」，但儀器只會執行一次「投藥」。

(2)「四小時限制」是指在四小時內總藥量有上限劑量的限制。

所有的「需求」和「投藥」的次數與時間都會清楚地記錄在儀器的微處理器內，可提供醫師做為止痛藥的更改或劑量調整的參考。醫護人員可以更積極的參與止痛治療，而不必擔心藥物濫用及過量的問題。

🐦25. 手術後打止痛針有副作用嗎？

手術後止痛劑的使用通常只有二至三天，使用的止痛藥可以分為二大類：

(1) 非類固醇消炎性止痛劑，最常見的副作用為腸胃不適。

(2) 嗎啡類藥品，可能的副作用有：頭暈、噁心、嘔吐、想睡、便祕等。可藉由調整藥品劑量或使用其他的輔助藥品減輕或消除此等副作用。

🐦26. 什麼情況下算是發燒？

耳溫：38℃以上為發燒。

腋溫：37.2℃以上為發燒。

口溫：38℃以上為發燒。

肛溫：38℃以上為發燒。

額溫：易受室溫及溼度的影響，需要先做校正。

🐦27. 各種體溫計的測量方法？

耳溫：耳溫槍的原理，就是以紅外線掃瞄耳膜後產生的溫度。為使測出的體溫正確，最好每次都換用新而乾淨的「槍頭外濾套」。將「槍頭」伸入耳內，越深入越好，同時以另一手把外耳翼

上半部向上拉（一歲內幼兒）或向後拉（一歲以上），以利耳道伸展變直。自己測溫時，則要反手由頭後拉耳翼。測量時間僅需一到三秒。

腋溫：把腋溫計放入腋下的最頂端，夾住五分鐘以上。

口溫：放置舌下，用普通水銀溫度計測需五分鐘以上，用電子式溫度計測僅需三十秒。

肛溫：先以凡士林潤滑再插入肛門三到五公分，病患需保持鎮靜，以免溫度計破裂，水銀溫度計測三分鐘，使用電子式則測三十秒。腹瀉患者、愛滋病患者和心臟病患者避免使用。

額溫：非侵襲性，必須先做室溫校正，測量者必須在休息狀態下，額頭保持乾燥。使用上，必須根據額溫槍所附說明換算成核心溫度（core temperature）。

28. 影響體溫測量結果的因素？

各種測量方式會受不同因素影響。

耳溫：會受測量方法的正確性影響。(1) 因為人體的耳道並不是直的，所以在使用時最好能拉直耳道，以便紅外線直接掃瞄耳膜，若無法拉直則

測到的溫度就會有誤差。有時測到左右耳溫度並不相同，這可能也是因為沒有對準耳膜，而造成測量位置不正確。(2) 每次使用後最好更換槍頭外濾套，以減少耳垢或耳道分泌物沾黏的影響。(3) 因為利用紅外線掃瞄，所以若耳道有異物或耳垢則可能阻礙路徑影響測量，所以使用前最好確保耳道淨空。(4) 因為各廠牌的耳溫槍和保護套厚薄不同，使用前可能需作校正。

腋溫：不穩定，容易受流汗影響，測出的是體表溫度，較不標準。

口溫：易受口中食物的影響，吃完熱食或冷飲之後，最好等三十分鐘再測量。另外，吸煙也會影響口溫，最好避免。

肛溫：較準確，測出的溫度接近核心溫度。但需小心交叉使用可能造成感染。

額溫：運動後、額頭是否乾燥、室溫都會影響測量的準確性。

29. 不同測量體溫的方法量出來的體溫是否有差別？

有。不同測量方法量出來的體溫各不相

同，各種方法測量出的正常範圍如下：

耳溫：35.7℃～37.5℃。

腋溫：34.7℃～37.1℃。

口溫：35.7℃～37.9℃。

肛溫：36.0℃～37.9℃。

額溫：易受室溫及溼度的影響，需要先做校正。

30. 人體的體溫會不會有變化？

正常人在一天之中體溫是會有變化的，清晨時候最低，傍晚的時候最高，各個部位也都不完全相同。

31. 輕微發燒需要服用退燒藥嗎？

不建議服用，當有輕微發燒現象時，應該先補充水分、多休息、除去過多衣物等，並觀察發燒者的活動力，如果有嚴重的倦怠現象，則建議就醫。

32. 發燒不吃藥會燒壞大腦嗎？

大腦細胞的基本成分是蛋白質，而蛋白質通常要在攝氏四十二度以上才會逐漸地被破壞。因腦炎、腦膜炎或高燒引起的抽筋過久導致大腦缺氧，才是造成大腦傷害的主要原因。若高燒不退或伴隨有抽筋、頸部僵硬等現象，建議儘速就醫。

🐚33. 如果同時發燒、頭痛又經痛,是否要加倍 服用止痛藥才會有效?

一般止痛藥同時具有止痛及退燒的效果,不需要加倍 服用。加倍服用不一定會加強效果反而會增加副作 用。

🐚34. 綜合感冒藥有何副作用?

市面上的綜合感冒藥通常是包含兩種以上藥品的複方 製劑,服用過量時會有明顯的副作用。例如:解熱鎮 痛劑輕則引起胃腸不適,重則可能造成肝臟、腎臟毒 性;止咳藥吃了會昏昏欲睡;治療流鼻水或抗過敏的 藥容易引起口乾、視力模糊、頭昏與嗜睡;鼻塞解除 劑可能影響心臟血管及中樞神經系統。所以服用綜合 感冒藥時必須依照指示服用,不可自行加量。

🐚35. 感冒到底要多嚴重才需要看醫生?

一般感冒多由病毒所引起,若本身沒有特殊疾病或不 屬於特殊族群(老人、小孩、孕婦等),可以至藥局 請藥師建議成藥或指示用藥,來幫助症狀緩解。若服 藥後症狀未緩解、症狀加重,或高燒不退時,應立即 就醫。若為特殊族群或有其他疾病時,則建議就醫。

36. 感冒的症狀改善是否可自行停藥？

若為症狀緩解的藥品，則症狀消失後即可以停藥；若
為疾病治療的藥品（如：抗生素等），則必須根據醫
師及藥師的建議，完成一定的療程，勿擅自停止藥品
的使用，以免影響病情的控制與治療。

37. 感冒的時候要選擇綜合感冒藥或是單一成分的藥品？

綜合感冒藥所含有的成分較多，針對的症狀也較廣。
但並不是每個人都需要綜合感冒藥內的每一種成分。
因此應該視症狀選擇合適的藥品。

38. 感冒藥水、咳嗽糖漿是否含類固醇？

一般感冒或咳嗽藥水不含類固醇成分，常見成分包括
解熱鎮痛劑、止咳劑、祛痰劑、鼻充血解除劑及抗組
織胺劑等。

39. 感冒時需要使用抗生素嗎？

一般的感冒多是由病毒所引起的，多喝水、多休息，
必要時給予症狀治療的藥品便可。抗生素專門用來治
療細菌感染，無法對抗病毒所引起的感冒。是否使用

抗生素需經過醫師的專業判斷。

40. 感冒藥會影響血壓控制嗎？

有些感冒藥含有鼻塞解除劑或解熱鎮痛劑。鼻塞解除劑可能會使血壓升高；有些非類固醇解熱鎮痛劑可能會影響降壓劑的效果。使用前應諮詢醫療專業人員。

41. 感冒時可停用降血壓藥嗎？

不可以。高血壓為一慢性疾病，需長期服藥控制，因此不建議在罹患感冒時擅自停藥，以免影響血壓的控制。

42. 長期服用感冒藥水為什麼會成習慣？

有些感冒藥水含有成癮性之中樞鎮咳劑（如：可待因）長期服用後可能成癮。因此必須遵照專業人員的指示服用，症狀解除後就要停藥，切勿自行長期服用。

43. 服用感冒藥引起的嗜睡，可否藉由減量來消除？

感冒藥中較常見引起嗜睡的成分是第一代抗組織胺，但是每個人的反應不見得完全相同，而且藥品劑量太低時也達不到藥效，所以不宜自行減量。

44. 服用感冒藥會引起嗜睡，對日常生活有哪些影響？

感冒藥可能引起嗜睡的副作用，可能會影響到專注力，所以開車、騎車或從事需要精神專注的工作時要特別小心。

45. 為什麼咳嗽有痰的時候，不可吃止咳藥？

止咳藥會抑制咳嗽反應，使痰不容易排出，所以有痰的時候應多喝水，幫助痰的排出，不建議使用止咳藥。

46. 治喉痛的噴劑和吸入劑有何不同？

喉嚨痛的噴劑是噴在口腔、咽喉表面的傷口或發炎處，而吸入劑是吸到肺裡，作用在支氣管上。

🐟47. 鼻子過敏時，用噴劑還是用口服藥比較好？

應該根據病患的狀況而給予不同劑型的藥品。若是長期過敏，使用類固醇局部噴霧劑會比口服副作用少。

🐟48. 抗組織胺藥有那些作用？

用於過敏性鼻炎、蕁麻疹、昆蟲咬傷、止吐、預防暈車、止癢或治療其他過敏引起的症狀等。

🐟49. 抗組織胺藥吃了都會想睡嗎？

不一定，需視藥物的特性而定，一般而言傳統的抗組織胺較有嗜睡的副作用；新型的抗組織胺（第二代）不具顯著之鎮靜及抗乙醯膽鹼效應，較無嗜睡的副作用。故服用第一代抗組織胺需注意：因有鎮靜、嗜睡之副作用，服用期間請勿開車、從事需精神專注之工作。

🐟50. 長期過敏服抗組織胺都無效，該怎麼辦？

抗過敏藥物可以作為症狀治療或預防過敏症狀發作。長期過敏性疾病需找出過敏原，根除過敏原、避免接

觸過敏原或進行減敏治療等。長期服藥無效也有可能是對所服用的抗組織胺劑產生耐受性，應告知醫師此種情況，選擇其他抗組織胺劑。

🐻51. 病人本身不知道有攝護腺肥大，服用抗組織胺後發生副作用要怎麼辦？

需先瞭解病患的情況及服用抗組織胺或副交感神經抑制劑的原因。一般而言，停藥後此副作用很快會消失，建議至泌尿科就診確定是否有攝護腺肥大的問題。另外，以後就醫或是選擇非處方藥時都要把此情況告知醫師或藥師。

🐻52. 服用抗組織胺劑後眼睛較乾澀、視線模糊，是否較易發生青光眼？

抗組織胺會使體液分泌減少，而導致眼睛乾澀。抗組織胺也可能使青光眼惡化（因部分抗組織胺有抗膽鹼類副作用），故青光眼者請慎選抗組織胺劑。

🐻53. 暈車藥的用法及服用時機，有什麼副作用？

搭飛機、坐車、坐船會產生動暈的人，建議於搭乘前

半小時至一小時服藥。
如buclizine、cyclizine、
dimenhydrinate、
diphenhydramine為旅行
前半小時服用，meclizine
則為旅行前一小時服
用。長時間搭乘交通工
具時可依藥品之作用時
間，給予維持劑量，但
不可超過建議劑量。暈
車藥是自律神經中副交感

神經的阻斷劑，會造成乙醯膽鹼的傳遞降低，吃完暈
車藥可能會很想睡、口乾、視野模糊、小便困難、便
祕及可能產生心悸。

54. 暈車藥貼片的成分是什麼？如何使用？有哪些注意事項？

暈車藥貼片的成分為東莨菪鹼（Scopolamine）。於出
發四小時前貼在耳後無毛髮的地方，透過皮膚吸收，
預防暈車的效果可達七十二小時。可能發生的副作
用，如口乾、皮膚乾燥、視野模糊、小便困難、便祕
及可能產生心悸。患有青光眼、前列腺肥大之患者及

老年人不建議使用。

🐻55. 暈車藥為何不可與感冒藥併用？

感冒藥成分中常含有與暈車藥同樣成分（抗組織胺），併用時可能過量而使副作用產生。

🐻56. 十二歲以下的小孩可以吃暈車藥嗎？

幼兒使用抗組織胺類製劑時可能有興奮反應，超過建議劑量時可能導致興奮反應、痙攣、幻覺、呼吸抑制等現象。六歲以下孩童應由醫師指示使用，十二歲以下孩童不可使用副交感神經拮抗劑。由於臨床試驗中meclizine在十二歲以下兒童之安全性與有效性資料不足，故不建議於十二歲以下兒童使用meclizine。可選擇其他抗暈劑如cyclizine, buclizine, diphenhydramine或promethazine。兩歲以下之嬰幼兒不容易發生暈車的現象。

🐻57. 孕婦可不可以服用暈車藥？

暈車藥大多為B、C級。B級：cyclizine、meclizine、diphenhydramine、dimenhydrinate。C級：

buclizine、promethazine、scopolamine。所謂孕婦用藥安全分級的B級是指以動物試驗對胎兒沒有影響，但沒有是否會對人類胎兒造成影響的資料。而C級是指在動物試驗或是人體都尚未證實對胎兒有影響。孕婦最好選擇 B 級的藥。

58. 服用暈車藥前後可喝酒嗎？

不可以，預防動暈症的抗組織胺劑往往有嗜睡、倦怠感、注意力無法集中等副作用，酒精會加強此類副作用。

59. 若服用暈車藥後沒有效果，能再多吃一顆嗎？

暈車藥約於服藥後半小時到一小時才會有作用，所以需在乘車之前半小時至一小時服用。一旦發生暈車的症狀，再服用暈車藥的效果並不好，必須下車休息才是最好的方法。

60. 有人說暈車可貼沙隆巴斯，有效嗎？

沙隆巴斯貼片的適應症為緩解局部疼痛，雖然部份產品含有抗組織胺劑diphenhydramine，並沒有預防暈車

的效果。

腸胃藥、止瀉劑、瀉劑

1. 服藥時是否一定要配胃藥？

服藥時不建議加上胃藥。藥品不一定會傷胃，即使部分會傷胃，原因大多與胃酸無關。制酸劑只能局部中和胃酸，對胃酸過多及消化不良之療效有限，無法達到保護胃的功效。制酸劑也可能與其他藥品產生藥品交互作用，導致原本用藥的療效降低（例如tetracyclines、quinolones、aspirin、clindamycin等）。某些不宜但又無法避免服用胃藥的情況下，用藥的次序與間隔十分重要，例如先吃主要用藥後吃胃藥，並且錯開至少兩小時。

2. 胃潰瘍的病人服用消炎止痛藥時需要同時服用制酸劑嗎？

消炎止痛藥會抑制胃壁保護因子（前列腺素PGE等）的產生，阻礙胃壁的新生，與胃酸分泌較無相關

性，制酸劑只能夠中和胃酸，無法遏止消炎止痛藥的腸胃副作用，因此，同時服用制酸劑是沒有保護胃的功效。一般建議，服用非類固醇類消炎止痛藥（NSAID）時，若造成腸胃不適，可與食物、牛奶一起服用，以減少藥物對胃的刺激。有消化道出血病史、老年人、長期服用類固醇的病人可經由醫師建議併用H_2受器阻斷劑、質子幫浦抑制劑等以預防NSAIDs引起的潰瘍。

3. 胃藥要飯前吃還是飯後吃？

為治療胃潰瘍而使用制酸劑的話，一般建議於飯後一小時、三小時以及睡前服用。若只為消除胃不舒服的話，飯前或飯後皆可。

4. 胃藥一定要咬碎嗎？可泡溫開水嗎？

先將制酸劑充分咀嚼後再吞服，可讓藥品迅速分布於胃部，因而作用較快且較有效。未經咀嚼的制酸劑無法完全溶於胃液。含有局部麻醉劑的制酸劑，如息痛佳音strocain®，則不建議咬碎。不建議將制酸劑泡溫開水。

5. 服用胃藥後還是不舒服該怎麼辦？

引起胃部不適的情況有很多，包括：精神壓力、藥物引起、幽門螺旋狀桿菌引起潰瘍等。而胃藥的種類包括中和胃酸的鋁、鎂製劑，胃黏膜保護劑、抑制胃酸分泌的H_2-blocker、氫離子阻斷劑等，當服藥之後仍有不適情況，應請醫師重新評估，針對原因選擇適當的藥品。

6. 可以用蘇打水或電解質水來代替制酸劑嗎？

飲用的蘇打水含二氧化碳，有些有少量小蘇打（碳酸氫鈉），沒有制酸效果，對胃食道逆流者，反而有害；電解質水用於人體電解質的補充（例如腹瀉時），不具制酸作用。

7. 制酸劑為何有兩價、三價之分別？

制酸劑的作用就是中和胃酸，一般的制酸劑皆為含金屬的鹼性化學物質。金屬離子有不同的帶電價數，常見制酸劑如氧化鎂中的鎂，碳酸鈣中的鈣，就是二價的金屬離子；氫氧化鋁中的鋁就是三價的金屬離子。金屬離子的價數與中和胃酸的能力沒有一定的關係。

8. 胃藥除鋁、鎂及其混合劑外，有無其他成分？

常見的制酸劑多為含鋁、鎂或其混合劑的鹼性製劑，如Nacid®、Ulcerin-P®、MgO。有些制酸劑含碳酸鈣 calcium carbonate、碳酸氫鈉sodium bicarbonate等，也有含其它具有抗脹氣成分或小量的局部麻醉劑（如 Strocain®）。

9. 胃乳是制酸劑嗎？

胃乳的成分包含鋁鹽、鎂鹽、或含有少量局部黏膜麻醉劑等，具有中和胃酸之作用，胃乳屬於懸浮液劑型，使用前請先搖勻。

10. 胃乳片好還是胃乳好？

基本上成分類似，但液體狀的胃乳，可以直達胃部中和胃酸，效果最迅速。錠劑效果較慢，大部份需要嚼碎來增加藥品與胃酸接觸的表面積，以加速達到中和胃酸的功效，通常是飯後半小時到一小時內服用效果最好。

🐾11. 胃乳需放置冰箱貯存嗎？

不要放冰箱，會使得懸浮劑不易搖均勻。應於室溫保存，使用前搖勻，倒入量杯中服用。

🐾12. 胃藥服用過量有何副作用？

制酸劑為含鈣、鋁、鎂或鈉的鹼性藥品，含鈣或鋁的制酸劑可能引起便祕，含鎂的制酸劑可能造成腹瀉，過量的含鈉制酸劑可能導致水腫。長期過量服用、老年人或腎功能不良者則可能導致電解質不平衡、腎結石等。制酸劑會與其他藥品交互作用，包括直接結合或提高胃部的酸鹼值而降低其他藥品之藥效。超過醫師指示之劑量或期限，自行服用超過藥品仿單指示之劑量，或未經醫師指示服用超過兩週皆為過量。

🐾13. 長期使用胃藥是否會造成肝毒性和腎毒性？

一般民眾所說的胃藥是指制酸劑，肝腎毒性的可能性

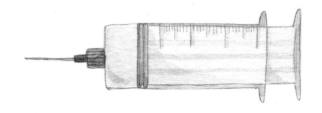

頗低。若是本身腎臟功能不佳者,因為鋁、鎂離子會累積在腎臟,應謹慎使用。如果指氫離子幫浦抑制劑,肝腎毒性的可能性也極微。如果是H_2拮抗劑,有極少數肝毒性及腎毒性的報導。

14. 治療胃潰瘍的藥與胃腸藥有何差別?

治療胃潰瘍的藥品大多與中和或抑制胃酸分泌相關,而胃腸藥含意較廣,通指「作用在腸胃的藥品」,包括有:幫助消化的藥品、胃潰瘍用藥、止瀉藥、促腸胃蠕動劑、治療幽門螺旋桿菌 — 十二指腸潰瘍藥品、消除脹氣藥品等。

15. 可不可以長期服用副交感神經拮抗劑用來治腸胃痙攣?

不建議長期使用,腸胃痙攣是屬於短暫之症狀,症狀緩解就不需繼續使用;若經常有胃腸不適的症狀,則應就醫不可自行用藥。

16. 張國周強胃散有何副作用?

張國周強胃散的主成分為碳酸氫鈉,不適合限鈉、限水的病人。另外還含有酒石酸氫鉀、甘草粉。甘草長

期使用會使體液滯留、水腫,可能會使血壓升高。

17. 如何解決便祕問題?是否所有的瀉劑都適用於老人的習慣性便祕?

攝取充足的水分、高纖維的蔬菜,增加運動量,養成定時排便的習慣都可減少便祕。若情況未改善,且暫時無法就醫則可至藥局請教藥師,了解其可能發生原因再做處理,不建議隨意服瀉劑。其他疾病或藥品也可能造成便祕,建議先找出病因,解決病因。一般不宜經常使用瀉藥,如無禁忌症,可用膨脹性瀉劑或甘油栓劑。慢性的便祕或自行使用瀉藥一週仍未改善,應就醫。

18. 如何解決出國旅遊便祕的困擾?

出國旅遊可能因環境、時差、飲食等因素導致便祕。解決方法是儘可能維持平日生活習慣,多喝水、少喝刺激性飲料、多吃纖維素豐富的食物、適度的伸展運動。

19. 如何解決懷孕時期的便祕？

懷孕時因內分泌改變及胎兒壓迫腸道蠕動不良，時常發生排便不順及便祕現象。應多吃蔬菜水果等富含纖維素食物，且需補充足夠的水分，適度運動，以利排便。若仍無法改善，需尋求醫師的協助，不可亂服成藥。治療孕婦便祕時不宜用刺激作用的瀉劑，以免胃腸蠕動增強引起子宮收縮，導致流產或早產。潤滑性瀉劑有礙脂溶性維他命吸收，孕婦也要避免使用。

20. 軟便劑的功效為何？有何副作用？

軟便劑的作用是保持糞便內的水分，對於糞便較硬、水分攝取不足時的便祕有幫助。過量可能造成腹瀉。病患若服用氧化鎂做為軟便劑，需留意以免造成鎂離子堆積引起副作用，若腎臟不好的病人可能會導致血中的鎂離子濃度過高，其症狀為心跳變慢、嚴重嗜睡、頭昏、或肌肉無力、呼吸困難等，因此腎臟不好的病人最好選用不含鎂離子的軟便劑。

21. 如何解除可待因 Codeine 造成的便祕？

多攝取水分、高纖食物與規律的運動則可幫助排便。也可使用瀉劑幫助排便。

22. 瀉劑應在什麼時間服用？

服用時間視瀉劑的種類及劑型而定，若是口服刺激性瀉藥則建議睡前吃，因開始作用需六至十二小時；若是塞劑則建議早上使用；膨脹性排便藥服用後則需十二至二十四小時才有作用，數日之後才能達到最佳療效。此外瀉劑使用次數與劑量因人而異。

23. 膨脹性瀉劑的天然物產品有哪些？

大部份膨脹性瀉劑來自洋菜、車前子、海藻等植物膠類物質。

24. 如何使用膨脹性瀉劑？

每種膨脹性瀉劑因其性質及劑型，服用方法不同，有的是直接用一大杯水（約二百四十毫升）吞服；有的是用水沖泡或加到熱水中溶解後再服用，使用前一定要看清楚說明書。

25. 請問 Normacol Plus®服用方法以及注意事項？

Normacol Plus®所含成分為膨脹性與刺激性瀉劑，應與一大杯水（約二百四十毫升）併服，以免在食道或腸

道造成堵塞，並請儘量不要在睡前服用，服用後不要立即躺下。Normacol Plus®內含刺激性瀉劑，不適合長期使用，以免產生依賴性；Normacol Plus®也不適合使用在腸阻塞及不明原因腹痛的病人。

26. 何謂鹽類瀉劑？是家中的食鹽嗎？

鹽類瀉劑包括一些難以被胃腸道吸收的鹽類（例如鎂鹽、硫酸鹽、磷酸鹽、檸檬酸鹽等），利用滲透壓的原理使水分滯留在胃腸道中以增加腸蠕動。至於家中的食鹽指的是氯化鈉，並沒有下瀉的效果。

27. 長期服用緩瀉劑Dulcolax®是否會產生依賴性？

Dulcolax®（bisacodyl）屬刺激性緩瀉劑，其作用為刺激大腸壁神經，長期使用會導致體液、電解質流失，尤其鉀離子，並可能導致結腸失去張力，長期服用或濫用的人會對刺激性瀉藥產生依賴性。原則上刺激性瀉藥不要連續使用超過一星期。多數刺激性瀉藥會使腸道淨空，使得解便後一兩天內不再有糞便可解，病人往往以為又便祕了，又再次使用，造成惡性循環。刺激性瀉藥較適合必要時給藥一次。

🐯28. 樂下錠是吃的還是塞的，如何分辨？

樂下錠是吃的，為腸衣錠，每錠含二點五毫克bisacodyl，需整粒吞服。塞的藥品一般會標示僅供外用，肛門栓劑大部分為子彈型。

🐯29. 番瀉葉的有效成分為何？

番瀉葉的有效成分為一種蒽醌類配糖體，主要是sennoside A和 B。

🐯30. 番瀉葉有何作用？可以長期使用嗎？

番瀉葉是一種草藥，具有瀉下、促進腸蠕動的作用。屬於刺激性瀉藥，原則上不要連續使用超過一星期。長期使用可能會造成黑色素在大腸黏膜沉積，使腸表面變成黑色，但停藥可回復，此非表示番瀉葉有毒，而是不正確使用所造成。（腸子是否變黑必須照大腸鏡才知道。）

🐯31. 「表飛鳴」的成分為何？有何功效？

表飛鳴（Biofermin）的成分為乳酸菌，可調整腸道的菌落，有助於增加腸道乳酸菌菌數，預防或治療腹瀉、便祕、脹氣等腸胃不適。表飛鳴為指示藥，有不

同劑型，使用前須詳讀仿單。

🐿32. 腹瀉（拉肚子）的時候，需不需要馬上吃止瀉藥？

不需要。輕微的腹瀉通常可以自行痊癒，腹瀉時須注意水分、電解質的補充，避免食用牛奶、奶製品或不易消化的食物。如果持續腹瀉、復發，或腹瀉伴隨有發燒、血便的情形，就應儘速就醫，以免延誤病情。

🐿33. 腹瀉（拉肚子）的時候可以用市售的運動飲料來補充電解質嗎？

市售的運動飲料，其電解質含量及糖分都過高，補充前必須稀釋一倍再用。建議至社區藥局購買電解質補充劑，依藥師指示服用。

8

皮膚、眼、
耳、鼻用藥

1. 外用藥膏須擦多久？有時擦一到兩次就好了？還要繼續擦嗎？

外用藥膏品項眾多，眼用、耳用、皮膚用等，使用多久需依疾病種類、嚴重程度來決定，建議諮詢藥師或醫師。

2. 皮膚外用藥適合長期使用嗎？

基本上，沒有一個皮膚外用藥適合長期使用。但如：Fucidin cream（fusidic acid）一般使用七天，用於治療青春痘時可能會用更久的時間。雖是皮膚外用藥，但如大量且長期使用，仍有可能被吸收到人體體內，產生副作用，因此未經專業醫療人員的指示，不要大量且長期使用。需由醫師進一步評估病情視情況決定。

3. 藥膏存放過久，前面會變色，是否把它擠掉仍可使用？

已開封的藥膏，放久了，會因氧化、潮解而變色、變質，應避免再度使用。但未開封的藥膏，只要在使用期限內使用是不會有問題的。一般眼藥膏開封後一個月，不管是否變色，都不要再使用，因為無法保證其

無菌程度。

4. 一些外用藥膏，如果在擦的部位用力摩擦生熱，會不會增加藥物的吸收量，或是加快吸收的速度？

有可能增加吸收量，但是有些皮膚的狀況並不適合用力摩擦，應聽從醫師或藥師指示。

5. 皮膚軟膏塗厚一點會比較有效嗎？

適量即可，塗厚一點不會加強效果。

6. 為何有些外用藥不可大面積使用，只可局部使用？

大面積使用，會增加藥品全身性的吸收量，而增加藥品對全身性副作用的機率。

7. 為何有些皮膚用藥規定頸部以上不可使用？

沒有如此規定，只是頸部以上的皮膚較細嫩，藥品吸收的比例可能增加，使副作用發生率增加。例如強效的類固醇由於副作用較強，因此避免長期用於頸部以上，可選擇弱效類固醇。有些皮膚病如疥瘡，在成人

疥蟲並不會侵犯頸部以上的皮膚,因而不必使用於頸部以上的皮膚。

8. 為何先使用水性藥膏後再使用油性藥膏?

使用油性藥膏對皮膚有封閉效果,會造成水性藥膏不易滲入皮膚。

9. 油性藥膏和水性藥膏的效果有差別嗎?

油性藥膏不溶於水、不易被水洗去,封閉效果好,持久性較佳,一般用在厚皮組織。水性藥膏可溶於水,無油膩性,較清爽。選擇水性或油性藥膏應由醫師根據病人的皮膚病灶決定,病人皮膚乾燥時,醫師可能選擇油性藥膏,夏天天氣溼熱時,可能選擇清爽的水性藥膏。

10. 如何辨別水性乳膏與油性乳膏?

水性乳膏是油性的物質外圍被親水性的物質所包著,滴在水裡可崩散開來,塗在皮膚上感覺水水的,容易塗擦;油性乳膏則是水性物質被親油性物質所包著,滴在水裏不會崩散開來,塗擦的感覺較黏。

11. 如何改善異位性皮膚炎搔癢的困擾？

異位性皮膚炎患者皮膚比較乾燥，適度的使用保濕乳液將有幫助。使用類固醇外用藥膏能消炎止癢，但如皮膚出現惡化徵兆，應盡速就醫。抗組織胺或某些皮膚用免疫調節劑可以改善皮膚發炎反應，但須由醫師評估後使用。

12. 治療皮膚過敏時，都會用類固醇嗎？

皮膚過敏不一定會使用類固醇，過敏的原因相當多，應該找出過敏源，根除的方法是避免接觸過敏源。症狀治療的藥物包括：抗組織胺及類固醇，依據過敏部位、嚴重程度來選擇藥品。症狀較輕時使用外用類固醇，必要時加上口服抗組織胺；嚴重的皮膚過敏才會使用口服或注射的類固醇。

13. 類固醇藥膏如何分級制？

外用的類固醇藥膏依據臨床上的試驗及它們對血管收縮能力之強弱，可以劃分為四級，第一級最弱，依序遞增，第四級最強。也有人將之分為七級，藥效最強者歸於第一級，最弱者歸於第七級，此種分級法和前述分級法雖然相反，但基本精神還是一致的。

🦁14. 如何選擇適當的類固醇藥膏？

選擇類固醇藥膏時需考慮兩大因素：疾病嚴重程度與發生部位。慢性濕疹、扁平苔癬、乾癬等常需使用較強的藥膏；白糠疹、玫瑰糠疹通常以弱效或中效的藥膏即可控制。

藥品穿透皮膚的能力取決於皮膚的部位，角質層愈厚的皮膚對藥膏的穿透能力愈差，臉部的角質層最薄，腋下、胯下等屈曲處次之，軀幹及四肢再次之，手掌、腳掌與頭皮最厚。臉部的濕疹宜用弱效的類固醇，而手掌、腳掌的濕疹則需強效的藥膏才有效。另外要特別留意的是，胯下、腋下等屈曲部位由於有較高的溫度及濕度，會產生類似密封的效應而更增加藥物的經皮吸收效果，因此宜盡量避免用到中、強效的類固醇。

🦁15. 益可膚可用於濕疹嗎？

主成分是econazole nitrate以及triamcinolone acetonide，後者可用於濕疹。單純濕疹沒有黴菌感染者不需要選擇複方藥品。

16. 膚潤康含有類固醇嗎？

膚潤康含有類固醇fluocinolone acetonide。

17. 治療膿疱需口服類固醇三個月嗎？是否需額外補充維生素？

膿疱（pustula）可為多種疾病的表現型態，但極少有必需口服類固醇三個月的狀況。只要三餐飲食均衡，並不需要額外補充維生素。

18. 為何傷口不能使用類固醇？

類固醇會延遲傷口的癒合，所以較不建議使用在傷口上。

19. 治療酸痛的藥膏是否含有類固醇？

一般治療酸痛的藥膏是不含類固醇的。在使用這些藥膏時，請先向藥師詢問以確保用藥安全。

20. 口內膏的成分是否含有類固醇？擦拭口腔傷口時，要如何擦呢？

(1) 口內膏的成分有可能含有類固醇（hydrocortisone

acetate或是triamcinolone acetonide），因類固醇有抗發炎、止癢及抗過敏的作用，可使用於輔助性治療或是短暫性的症狀解除。

(2) 使用前先將手洗淨，使用乾淨的棉花棒，沾上口內膏，再塗抹於傷口上，以均勻的塗抹一層為原則。

21. 外用去角質劑可自行到藥局購買，不必醫師處方？

某些去角質劑是指含有水楊酸類的藥品，經由醫師、藥師指示後就可以在藥局購買、使用。

22. 手術後貼在傷口上促進傷口癒合的美容膠含有藥用成分嗎？

美容膠是拆線後讓傷口平整所用的。通常於拆線後持續使用，一般使用三個月到六個月，美容膠一般不含藥用成分。

23. 金黴素是否可以用來治療蚊蟲咬傷？

金黴素是一種抗生素，目前市面上只有皮膚外用製劑。主要的用途是預防或治療局部感染。除非蚊蟲咬傷有感染之虞，否則不需使用金黴素。使用前應諮詢

醫師或藥師的意見。

24. 眼用製劑有何特性？

眼睛是精密的組織，很容易受到感染或傷害。藥廠在製造的過程，需要調整眼藥的酸鹼度及等張性以減少對眼睛的刺激，並經過滅菌處理，所以使用眼藥時應保持於無菌狀態，不可自行分裝。建議開封後，若一個月內未用完，不可再使用。

25. 眼用懸浮液是指什麼？

眼用懸浮液是指眼藥內的藥品無法溶於溶媒，以界面活性劑及增稠劑使其懸浮於溶媒中，所以使用前需搖勻。

★補充：

眼用製劑包括solution, suspension, cream or ointment. 眼用製劑必須控制以下條件：(1) 滅菌度，(2) 保存劑，(3) 澄明度，(4) 緩衝液，(5) pH值，(6) 等張性，(7) 添加物，(8) 黏稠度，(9) 包裝，(10) 安全性。其中眼用懸浮液是不用考慮澄明度，但必須考慮藥品的質粒大小與懸浮能力。一般大於五十μm的質粒會對眼睛造成刺激與不舒適感。

🐻 26. 眼藥水拆封後要冷藏嗎？可放多久？

一般眼藥水拆封後應存放於陰涼不受陽光直射的地方，有些眼藥水則需要冷藏，請詳閱包裝上說明。若不清楚可詢問藥師。通常開封後，不論用完與否，為避免眼藥水污染，放置一個月後即應丟棄。變色或沉澱的眼藥水不可再使用。

🐻 27. 開封後的眼藥水該如何儲存？可保存多久？

開封後的眼藥水儲存的環境必須符合以下四大條件：
(1) 避光。
(2) 避熱。
(3) 防潮。
(4) 避免置於幼童可以碰觸的地方。
須特殊儲存的眼藥（如：舒而坦（Xalatan）、利視即樂（Rescula））必須儲存於2～8 ℃的環境。開封後的眼藥水若一個月內未使用完畢仍應丟棄，以免因為藥水受到汙染長菌或變質而影響療效。

🐻 28. 眼藥水流到喉嚨，是否操作錯誤？

眼藥水可能經由鼻淚管流入喉嚨。正確用法為點一滴

藥水後，輕輕閉眼三分鐘左右，以手指輕壓眼內角鼻淚管開口處，避免藥水流經鼻淚管進入喉嚨。

29. 由眼科診所給的兩瓶眼藥水（Narpina®和 Sulomin®）哪一瓶要先點？

由於兩種藥水都是澄清液體，因此先點哪一種藥水都無妨。Sulomin 之成分為sulfisomezole sodium有抗菌作用；Narpina 之成分為naphazoline nitrate有收縮血管作用，可除去充血及縮小腫脹。建議兩瓶眼藥水至少間隔五分鐘使用。

30. 點眼藥時需要先將隱形眼鏡取下嗎？

為了避免眼藥在隱形眼鏡上沉澱，傷害眼睛，使用人工淚液與點眼藥前應先取下隱形眼鏡。

31. 用眼藥膏閉上眼睛需要揉一揉嗎？

使用眼藥膏後閉上眼睛三到五分鐘並稍微轉動眼球，不需刻意揉搓，多餘的藥品可用衛生紙或棉棒拭去。

32. 散瞳劑的作用為何？有何副作用？

散瞳劑是副交感神經抑制劑，可以使睫狀肌放鬆達到

瞳孔放大的作用，常見的副作用包括畏光與視力模糊。

33. 含類固醇的眼藥有何功用？

類固醇可快速控制眼睛的發炎以減少眼睛結締組織的纖維化，類固醇可做成單一成分的眼藥水或複方眼藥（包含其他有效成分），醫師會依病情需要選擇不同眼藥來治療。

34. 眼藥水內含類固醇，長期使用有沒有問題？

由於類固醇眼藥水是局部使用在眼睛，藥品進到全身循環的量是有限的，因此比較不會引起全身性的副作用。類固醇性青光眼是長期使用類固醇所產生的後遺症之一，可視為一種隅角開放型青光眼，通常因為局部點藥或注射中強度類固醇超過四星期所引起，也可能因為口服類固醇而引起，但此種發生率比較低。長期使用類固醇眼藥水可能會使眼球的房水排水孔被阻塞，導致房水排出率下降，而使眼壓上升。一旦停止使用類固醇，大部分的病人眼

壓可下降至正常範圍，但少數長期使用的病人，仍無法恢復正常。

35. 使用類固醇眼藥水有何特別注意事項？

使用類固醇眼藥水必須特別注意下列幾點：

(1) 經醫師診斷有必要使用類固醇者才可使用，且避免長期使用。

(2) 長期使用者必須定期至眼科門診量眼壓。

(3) 眼壓升高時，必須停止使用類固醇，並給予降眼壓藥物。

(4) 有青光眼病史、深度近視、糖尿病、風濕性關節炎患者，都屬於青光眼的好發族群，最好避免使用，以免引發急性青光眼發作。

36. 治療青光眼的藥水為什麼會導致氣喘？

治療青光眼藥品包括六大類：

(1) β-blocker，如timolol。

(2) prostaglandin analogue，如latanoprost。

(3) adrenergic agonist，如epinephrine、dipivefrin。

(4) selective α-agnoist，如apraclonidine、brimonidine。

(5) cholinergic agonist，如pilocarpine。

(6) carbonic anhydrase inhibitors。

其中第一項β阻斷劑，若是點用時流入鼻淚管經喉嚨吞下，進入全身循環，有可能會引起心跳變慢，支氣管收縮，呼吸困難等症狀，故可能導致氣喘病人氣喘發作。

37. 眼藥膏可以拿來當皮膚外用藥嗎？

當醫師無適當外用藥膏可用時，是有可能拿眼藥膏來皮膚外用。建議民眾如果家裡有現成的眼藥，需諮詢藥師後才可使用。但要注意外用藥膏因所使用的基劑與眼用藥膏可能不同，其無菌度也不如眼藥膏，所以皮膚外用藥膏千萬不可拿來眼用。

38. 為何大人和小孩使用滴耳劑拉耳朵方向不同？

因為幼兒外耳道構造與大人不同，故使用耳滴劑時，大人往後上方拉，小孩往後下方拉。

39. 噴氣壓式鼻噴霧劑時，為什麼要塞住另一個鼻孔？

因為鼻腔相通，若在使用鼻噴劑時沒有同時按住另一個鼻孔，則藥品會從另一鼻孔溢出而影響效果。

40. 鼻噴劑可以不舒服時就噴嗎?一天能噴幾次?

鼻噴劑使用次數必須依照醫師處方或建議民眾諮詢藥師,不可自行增減。

41. 鼻噴劑與吸入劑有何不同?

鼻噴劑與吸入劑最大的差異在於吸收部位不同,鼻噴劑是利用鼻腔的微血管吸收,而吸入劑則是利用肺部微血管吸收,鼻噴劑與吸入劑的設計不同,使用技巧也不同,需詳閱使用方法,正確使用,才能達到藥效。

42. 鼻腔噴霧劑是否會使嗅覺遲鈍?甚至喪失嗅覺?

鼻腔噴霧劑使用後,常會有鼻腔與喉嚨的乾燥感及刺激感,部分使用者會有味覺及氣味的不適感。但不適的感覺在使用藥品後數分鐘後就會漸漸緩解消退,並不會長期影響到味覺或是嗅覺。如果使用後產生嚴重不舒服的症狀,應該馬上回診,尋求醫療專業人員的協助。

43. 治療鼻子過敏的噴鼻劑都是類固醇嗎？可不可以有症狀才噴？

治療鼻子過敏的噴鼻劑可能是預防過敏的類固醇或 Intal®（cromolyn）等預防鼻子過敏的藥品或是鼻塞解除劑。預防性的噴劑應該要遵照醫囑長期使用；鼻塞解除劑則不能長期使用。

44. 鼻塞時塗抹曼秀雷敦或綠油精，對小孩的腦部會有傷害嗎？

曼秀雷敦及綠油精均含有薄荷油，大量吸入薄荷可能對中樞神經造成傷害，應避免直接塗抹於鼻黏膜。

45. 老人使用綠油精次數頻繁是否傷害皮膚？

有可能引起過敏，藥品的副作用與使用劑量、部位、頻率、期間長短有關。

★補充：

綠油精每公克含樟腦三十毫克(3% w/w)，尤加利油十五毫克(1.5% w/w)，丁香油十二點五毫克(1.25% w/w)，薄荷油三百一十毫克(3.1% w/w)，甲基水楊酸兩百毫克(2% w/w)。

甲基水楊酸會由皮膚吸收，使用愈頻繁，吸收比例愈高，愈有可能引起全身性副作用；其對皮膚有刺激性，尤其是重複使用者，可能造成灼熱、刺激、癢、發紅；不可用於黏膜部位。樟腦會由任何部位吸收，尤其是鼻腔等黏膜部位，產生全身副作用，如噁心、嘔吐、頭疼、痙攣、頭暈、呼吸困難、昏迷。尤加利油除上述副作用，還有可能造成肺部傷害。

氣喘用藥與吸入劑

1. 氣喘病患就醫時應注意哪些事項？

就醫時一定要告知醫師有氣喘病史。因為某些藥物可能誘發氣喘的發生，如阿斯匹靈、非類固醇抗發炎藥（消炎止痛藥品）及乙型交感神經阻斷劑（降血壓藥），醫師必須評估個人的狀況來開立藥品。因此就醫時別忘了告知醫師個人的氣喘控制情況及正在使用的治療藥品。

2. 有氣喘的青光眼病人要如何注意用藥？

病人看診時一定要告知醫師有氣喘病的病史。領藥時可請藥師幫忙確認是否含有可能導致氣喘惡化的藥品。（如betaxolol、timolol、carteolol）

3. 氣喘用藥注意事項？

(1) 氣喘用藥可分為長期控制與症狀緩解兩大類。長期控制的藥品須定時使用，不可自行停藥。而症狀緩解的藥品則可於症狀發生時迅速緩解氣喘的急性症狀，當症狀發生時才需使用。

(2) 對於不同病人應選擇適當的吸入劑型。

(3) 不同的吸入劑有不同的使用技巧，了解正確使用方法才能達到最大的療效。各種吸入劑的使用技巧、

辨別藥品剩餘量及清潔方式，請參閱廠商所附的使用說明。

(4) 類固醇吸入劑的不良反應可以用以下的方法來防止：

A. 吸藥後立刻以水漱口。

B. 定量噴霧劑加用吸入輔助器。

C. 依醫師指示，調整吸入次數。

(5) 茶鹼類藥品的安全範圍很窄，必須監測血中濃度，維持在五到十五微克／毫升。某些疾病狀態（如：心臟衰竭、肺水腫、急性病毒感染等），以及併用藥亦會造成茶鹼類藥物血中濃度的改變。

(6) 氣喘病人還需了解環境的控制，與尖峰呼氣流速的測定，以減少發作頻率。

4. 氣喘沒控制好時可能發生哪些問題？除了長期用藥，還要注意哪些事項？

氣喘沒控制好時，可能發生急性氣管收縮、黏液栓塞及呼吸困難，嚴重者可能死亡。長期嚴重氣喘會導致氣道變形，影響肺功能。避免接觸過敏原可以減少氣喘發作的機率。除了遵照醫囑用藥之外，還需要了解急性發作的處置。

5. 吸入劑除了到肺部還會到哪裡？到達肺部只有百分之十就有效嗎？

經口吸入的氣管擴張劑因為直接作用於呼吸系統，雖然只有百分之十到達肺部，就足以發揮藥效。另外百分之九十留在口腔、咽喉之後進入腸胃道，但其吸收率相當低。

6. 吸入器的噴口需不需要清洗？

乾粉吸入器的噴口不可清洗，以免水進入容器內，造成藥水潮解。若噴口處有濕氣，用衛生紙擦拭即可。定量噴霧劑則需定時清洗。

7. 含類固醇的吸入劑為何需要長期使用？

類固醇吸入劑可以減少發炎反應，長期使用可以避免發炎反應所導致的氣喘發作。

8. 氣喘症狀緩解時，可否暫時停用類固醇吸入劑？

類固醇吸入劑需長期使用以避免發炎反應，突然停藥

可能導致氣喘惡化，切勿因氣喘控制良好而停藥。

9. 已經很久沒有氣喘發作了，可以停止用藥嗎？

應與醫師討論後決定藥品減量或停藥。氣喘是由一連串的發炎反應所導致的支氣管慢性炎症反應。雖然氣喘長期控制良好，但生理上仍可能維持在慢性發炎的狀態，須定期回診由醫師評估治療效果。

10. 使用吸入劑後，為什麼要漱口？

強調使用後要漱口的吸入劑主要是因為含有類固醇。使用吸入劑時，絕大部分的藥品會停留在口腔。類固醇藥品可能降低口腔免疫力，使得口腔發生黴菌感染，故建議民眾使用過含類固醇之吸入劑後，務必記得漱口。

11. 口腔常常出現白色點狀斑點是因為使用氣喘吸入劑的緣故嗎？

長期使用吸入式類固醇可能會造

成口腔內白色念珠菌（一種黴菌）感染。這是因為類固醇類藥品殘留於口腔黏膜，使得口腔黏膜的保護力下降，讓白色念珠菌有機可乘。可用以下的方法來防止：

(1)吸藥後立刻以水漱口。

(2)使用定量噴霧劑者可以加用吸入輔助器。

12. 氣喘吸入劑用久了會不會影響聲帶？

氣喘吸入劑中的類固醇吸入劑長期使用後可能引起聲音沙啞的副作用。可以在每次使用後漱口，除去殘留於咽喉的藥品，預防此副作用。

13. 氣喘使用類固醇是否有過量的危險？

類固醇在氣喘的治療上扮演著重要的角色。一般而言，吸入劑型藥品的劑量很低，吸入劑型藥品在肺部沉積量約為百分之十至三十，且生體可用率非常低，幾乎不會發生全身反應。醫師可能在氣喘急性惡化時，依病情需要短期使用口服類固醇；在醫師監控下是安全有效的治療方式。

14. 使用類固醇吸入劑的小孩會不會長不高？

不會。吸入式類固醇的劑量很低，且只作用在呼吸

道，不會造成全身性副作用。若是因為擔心此類藥品抑制小孩生長而自行停藥，反而可能導致氣喘控制不良。

15. 有氣喘的小孩該如何選用吸入器？

對於不同年紀的小孩可以選用不同的吸入裝置：

(1) 四歲以下幼童，應選擇定量噴霧劑連接吸藥輔助艙和面罩，或者使用氣霧式噴霧劑連面罩。

(2) 四歲到六歲的兒童，可用定量噴霧劑接吸藥輔助艙連接口管，也可用氣霧式噴霧劑連接面罩。

(3) 六歲以上兒童可用乾粉吸入劑或使用定量噴霧劑連接輔助艙，也可用氣霧式噴霧劑連接口管。

10
慢性病與老年人用藥

1. 慢性病患如何注意藥品的交互作用呢？

若同時看兩診以上，或在不同醫療院所就醫時，需特別注意告知目前用藥，最好將正在服用的藥品及藥袋攜帶就醫，以免醫師開處方時開到交互作用的藥品或重覆用藥。如有問題，隨時可向您的藥師或醫師請教。

2. 如何防止老人忘記吃藥或多吃藥？

藥品種類太多，服藥時間不同時，可先行分類，預先將同時間服用的藥以小藥袋或小藥盒裝在一起，並註明時間，以防止重複服用。也可藉由他人或鬧鐘協助提醒，按時服用。種類真的太多時應請教醫師或藥師是否可以簡化用藥。

3. 老人家每天吃藥四次，早起早睡怎麼辦？

將一天大致分為四個時段，每四到六小時吃一次藥就可以了，以後每天只要固定時間吃藥，就能維持穩定的療效。

4. 打開膠囊再服用對老年人是否較好？

如果老人家吞嚥能力較差，無法順利吞服的話可將膠

囊打開再服用，但需注意膠囊劑型是否適合打開，以免影響治療成效。

5. 老人的心臟用藥可以剝半使用嗎？

請由藥袋標示、錠劑上是否有刻痕來判斷，有任何不明瞭之處可以請教藥師。

6. 家中長輩無法吞下大顆的藥品，該如何處理？

先判斷長輩服用的藥品是不是特殊設計的劑型，若為特殊劑型，應該詢問藥師是否可以剝成兩半或是打開膠囊後服用。如果不可以剝半或打開膠囊，建議請醫師改為藥效相同，且可以切割成小片或磨粉的藥品。

7. 聽說老年人用藥後的反應和年輕人不太一樣，和老化有關嗎？

人體的腸胃道功能、腎功能、肝臟代謝能力會隨著年齡增長而降低，加上身體脂肪比例增加、血液恆定機能不足、腦組織退化及營養攝取不足等因素都會使老年對藥品的吸收、代謝以及反應不同於青壯年人。此外，老年人對藥品的副作用的反應也比青壯年人嚴

重。

8. 家中長輩常常頭暈，和吃藥有關係嗎？

導致頭暈的原因很多，常見原因有：

(1) 前庭系統（耳朵）的問題：耳朵感染、過敏反應或頭部外傷等，有些則為原因不明。

(2) 非前庭系統的問題：視力、過度換氣、壓力、疲倦、神經系統疾病、腦部血流不足（如年長者、姿勢性低血壓、脫水及動脈硬化）、睡眠不足、血糖過低及血壓太高或太低。

(3) 因為藥品不良反應所導致的頭暈。

9. 哪些藥品容易引起頭暈？

(1) 有鎮靜作用的藥品：大部分的精神科用藥如抗焦慮劑、安眠藥、抗憂鬱劑及精神病用藥等，抗組織胺劑、肌肉鬆弛劑、麻醉止痛劑。

(2) 神經科用藥：抗癲癇藥品、巴金森氏症用藥及治療頭暈的藥等。

(3) 心血管用藥：高血壓用藥、利尿劑、心絞痛用藥及心律不整用藥。

(4) 甲型交感神經阻斷劑：良性攝護腺肥大及高血壓用藥。

🦁10. 常用的高血壓治療藥品有那些？

常用的高血壓藥品有：

(1) 血管收縮素II接受體拮抗劑：作用為直接作用在血管收縮素II（losartan、valsartan等）。

(2) 血管收縮素轉化酶抑制劑（ACEI）：作用為降低血管收縮素I轉化的作用（benazepril、enalapril等）。

(3) 鈣離子管道阻斷劑：作用為抑制鈣離子進入細胞（amlodipine、diltiazeam等）。

(4) 甲型阻斷劑：作用為阻斷兒茶酚胺之感受體（doxazosin、terazosin等）。

(5) 乙型阻斷劑：作用為阻斷兒茶酚胺之感受體及阻斷心臟之β感受體(atenolol、propranolol等)。

(6) 利尿劑：作用為增加尿液中鈉離子的排泄功能(furosemide、trichlormethiazide等)。

有高血壓的病人必須就醫，經過醫師的診斷，針對個人的病情選擇適用的藥品開立處方，由藥師調劑並給予充分的用藥說明後服藥才是安全的。換言之，高血壓的治療藥品均是處方藥，民眾不應隨意購買自行使用。

11. 血壓已經控制在正常範圍了，為什麼還需要長期服藥？除了服藥，還有沒有其他需配合的事項？

長期高血壓會導致血管壁受損及血管阻塞，高血壓也可能導致血管破裂，嚴重者可能發生腦中風及心肌梗塞等併發症。服藥之外還需要作息規律、適度的運動、避免過多鹽份、脂肪及戒菸，才能讓血壓控制好，並降低併發症的發生率。

12. 長期服用降血壓藥的老人家，最近頭痛，是否有可能吃太多藥？

頭痛原因很多，包括藥品副作用與高血壓本身等都有可能，不一定是吃藥關係，可建議病人測量血壓並記錄頭痛的部位、時間、次數、長短及程度，若持續頭痛，請病人攜帶所有正在使用的藥品就醫，提供醫生作判斷。

🐚 13. 治療高血壓或良性攝護腺肥大的甲型交感神經阻斷劑會導致姿勢性低血壓嗎？

甲型交感神經阻斷劑的確可能造成姿勢性低血壓，尤其是剛開始使用、調整劑量、年紀較大、併用其他降血壓藥時更容易發生，但會隨著繼續用藥而改善。故一開始服用甲型交感神經阻斷劑時，建議服藥後避免突然改變坐、站、躺等姿勢。

🐚 14. 某些降血壓藥為何須晚上服用？

有些病患早晨的血壓會偏高，為了調整降壓藥之作用時間會考慮晚上給長效的藥。有時為了避免某些降壓藥可能產生的副作用，如：姿態性低血壓、頭暈等，也會考慮晚上給藥。

🐚 15. 服用降血壓藥品會造成水腫嗎？是不是腎臟出問題了？

降血壓藥品有造成水腫的報告（如amlodipine、felodipine、prazosin、enalapril、propranolol、irbesartan等）。但會造成水腫的原因包括肝臟、腎臟、心臟功能不佳、藥品副作用等。故發現水腫時，

應攜帶或直接告知醫師目前使用藥品，由醫師判斷是否為藥品副作用或身體其他器官出問題。

16. 利尿劑在什麼情況下會被使用？

利尿劑的作用是幫助身體排除滯留在體內的水分，可用於許多疾病，如：高血壓、水腫、心臟衰竭。但是利尿劑需經過醫師診斷後才可使用。

17. 利尿劑晚上服用會影響睡眠嗎？

利尿劑會增加尿量及排尿次數，所以晚上服用會影響睡眠。如一天服用一次，建議於早餐後服用；如一天服用多次，建議最後一劑在傍晚以前服用。

18. 可以多喝水幫助排尿來代替利尿劑嗎？

需要服用利尿劑的病患，可能是高血壓或因為某些疾病導致體內鹽分及水分堆積無法排出而引起水腫，此時飲用大量的水反而可能造成水腫情形加重，尤其對於有心臟及腎臟疾病的病人更是危險。長期使用利尿劑確實會造成電解質失衡，嚴重可能導致心律不整或神經方面的副作用，因此必須配合適量電解質補充來治療。而多喝水排尿量會增加，是因為身體要保持恆定，所以增加排尿量。但喝水太多反而無法適度調節

體內水分，導致體液電解質不平衡，甚至於無法迅速的將水分排除，引發肺水腫、心衰竭等問題（即俗稱的「水中毒」）。若心臟、腎臟等疾病患者對於如何喝水及喝多少水有困擾時，最好聽從醫生的建議決定喝水的量，這樣可以避免攝取過多或過少的水分。

19. 服用保鉀利尿劑或慢性腎衰竭患者為何不能吃橘子、香蕉？

服用某些保鉀利尿劑或慢性腎衰竭患者，吃橘子、香蕉等富含鉀的食物，較可能造成血鉀堆積，而引起高血鉀症狀。

（註：若人體血漿中鉀離子濃度高於正常上限值5.5 mEq/L 時稱為高血鉀症，常肇因於鉀攝取過多、排出減少或因鉀離子由細胞內轉移至細胞外液等原因造成。尤其是腎臟衰竭病患特別容易發生高血鉀症。高血鉀症的症狀包括：

(1) 心臟血管系統：血壓降低、心律不整、心電圖改變，嚴重時有心室纖維顫動、心跳停止。

(2) 神經肌肉方面：早期為肌肉震顫、痙攣、感覺異常等情形；晚期會有肌肉無力、弛緩性麻痺、呼吸停止。

(3) 消化系統：可能出現噁心、嘔吐、腸蠕動增加、腹

瀉、腹絞痛等。

(4) 泌尿系統：少尿、無尿等。

20. 為何鈣離子阻斷劑會造成潮紅的副作用？

因鈣離子阻斷劑會作用於血管上，使血管平滑肌放鬆造成血管擴張，故會造成潮紅的副作用。

21. 為什麼高血脂需要長期服藥？除了服藥，還有沒有其他需配合的事項？

高血脂會導致血管硬化及阻塞，引起心絞痛、心肌梗塞及腦栓塞等嚴重疾病。服藥之外應少吃高脂肪、高膽固醇食物、多吃蔬果且做適度的運動，血脂肪才不會升高，並降低併發症的發生率。

22. 常用的降血脂藥品有那些？

常見的降血脂藥包括：

(1) HMG-CoA還原酶抑制劑（statin類藥品，如 atorvastatin、lovastatin 等）：作用為抑制膽固醇的合成，降低低密度脂蛋白（LDL，low-density lipoprotein）膽固醇及三酸甘油脂（TG，triglyceride），增加高密度脂蛋白（HDL，high-

density lipoprotein）。

(2) 纖維酸衍生物（fibric acid derivatives）：可降低三酸甘油脂及低密度脂蛋白膽固醇（fenofibrate、gemfibrozil）。

(3) 膽酸結合樹脂（bile acid sequestrant resin）：降低低密度脂蛋白膽固醇（chlolestyramine）。

(4) 菸鹼酸及其衍生物：可降低三酸甘油脂及低密度脂蛋白膽固醇，增加高密度脂蛋白（nicotinic acid、acipimox）。

🐓23. 為何服用降血脂藥會有肌肉無力的副作用？

Statin類藥物與fibric acid類藥物併用會增加橫紋肌溶解之風險，肌肉無力、疼痛是橫紋肌溶解的徵兆，一旦發現，應盡速就醫。

24. 降膽固醇的藥是否可長期使用？是否會傷肝？

服用statins類降膽固醇的藥，應該在服藥三個月後進行抽血評估，視血脂控制程度及肝指數，以決定是否繼續使用。

25. 常用的糖尿病治療藥品有那些？

常用的糖尿病藥品有：

(1) 胰島素：作用為補充胰島素（Humulin N®、Humulin R®等）。

(2) 雙胍類：作用為抑制胃腸吸收糖分及促進葡萄糖的利用（metformin）。

(3) 磺醯尿素類：作用為促進胰臟分泌胰島素（glimepiride、glipizide等）。

(4) Glinides（meglitinides）：作用為速效胰島素促泌劑（nateglinide、repaglinide）。

(5) Thiazolidinediones, TZD：作用為增加周邊組織對胰島素的敏感度（pioglitazone、rosiglitazone）。

(6) α-葡萄糖苷酶抑制劑：作用為抑制多醣類在小腸的分解，延緩葡萄糖吸收（acarbose）。

(7) DPP-4抑制劑：作用為促進胰臟製造及分泌胰

島素，抑制肝臟之葡萄糖新生作用〔Januvia®
（sitagliptin）〕。

有糖尿病的病人必須就醫，經過醫師的診斷，針對個
人的病情選擇適用的藥品開立處方，由藥師調劑並給
予充分的用藥說明後服藥才是安全的。換言之，糖尿
病的治療藥品均是處方藥，民眾不應隨意購買自行使
用。

26. 血糖控制不好會導致何種後果？糖尿病病友除了長期服藥或注射胰島素外，日常生活還需要注意哪些事？

血糖控制不佳會導致血管和神經病變，是心血管病
變、末期腎臟病、失明及下肢截肢的主要因素。除了
藥品治療，還需要有飲食計畫，加上適度的運動、避
免菸酒，才能讓血糖控制在合理範圍。糖尿病病人有
時候會發生低血糖或高血糖等需緊急處理的狀況，故
需要了解低血糖或高血糖的症狀及處置方式。

27. 血糖太高時有何特殊的感覺？

血糖高時通常沒有特殊感覺，但是如果高血糖連續數
日未改善時，可能發生糖尿病酮酸中毒或高血糖高滲

透壓非酮性昏迷等需要緊急就醫的狀況。

28. 按時服用降血糖的藥品或注射胰島素的人也會發生血糖太高的現象嗎？

未遵守飲食計畫、進食量太多、沒有規律的運動、感冒、發燒、感染症、重大手術或外傷、服用可能導致高血糖的藥品（如類固醇、利尿劑、精神病用藥等）、情緒不穩、壓力太大，都有可能導致高血糖。

29. 低血糖有何症狀？

血糖太低的症狀包括饑餓感、冒冷汗、臉色蒼白、心跳加速、視力模糊、頭暈、嘴唇發麻、無力感、昏昏欲睡、脾氣暴躁、性情改變，甚至全身痙攣、昏迷。

積極胰島素治療者、糖尿病多年或已有神經病變的人，可能沒有自覺症狀，需經常監測血糖，以免發生嚴重低血糖而昏迷。

30. 糖尿病病人在何種情況下容易發生低血糖的現象？

造成低血糖的常見原因包括：

(1) 注射過量胰島素或服用過量口服降血糖藥。

(2) 注射胰島素或服用口服降血糖藥後延遲進食。

(3) 進食不定時或進食量過少。

(4) 運動過度或空腹運動。

(5) 肝、腎功能退化。

(6) 酗酒。

31. 發生低血糖時該如何處理？

清醒時：服用含有十到十五克蔗糖的食物（糖水、含糖飲料、糖果、糖包）；服用acarbose者必須補充葡萄糖或牛奶（因為含有乳糖）。三十分鐘後最好再測血糖，以確認是否已經恢復正常。若距離下一餐還有一小時，需要多補充一份含多醣類食物（如一片吐司或一杯牛奶）。

意識不清時：可從牙縫注入糖漿、蜂蜜、打升糖素（glucagon）或立即就醫。為避免嗆到，請勿灌食任何液體。

用藥安全手冊

🦁32. 做飯前血糖值的抽血檢查，要在什麼時候服用飯前服用的降血糖藥呢？

抽血測飯前血糖流程如下：

(1) 前一天晚上十二點開始禁食。

(2) 抽血當天帶藥至抽血處。

(3) 抽完血後立刻服用飯前降血糖藥。

(4) 用餐。

🦁33. 長期服用 aspirin 預防中風是正確的用法嗎？

低劑量的aspirin具有抑制血小板凝集的功能，可以防止血栓的形成，因此可以長期服用來預防中風。

🦁34. 長期服用 aspirin 常見的副作用？

aspirin具有抑制血小板凝集的功能，長期服用後可能發生受傷後血流不止、容易淤血或是血尿、黑便等出血的現象。Aspirin會刺激腸胃道，導致胃腸不適或消化性潰瘍。

35. 長期服用aspirin的人,拔牙或動手術需要先停藥嗎?

Aspirin具有抑制血小板凝集的功能,需要等新的血小板形成時才會恢復血小板凝集的功能,拔牙或動手術前需要先停藥十到十四天。

36. 長期服用抗凝血劑的人,拔牙或動手術需要先停藥嗎?

長期服用抗凝血劑的人拔牙或動手術前需要先停藥九天以上,且凝血功能正常時(INR必須介於1~1.5)才可以拔牙或動手術。

37. 抗凝血劑有何醫療用途?

抗凝血劑最主要的作用是避免血液凝集而產生血塊。抗凝血劑可用於深部靜脈栓塞之治療及預防、肺動脈栓塞之治療及預防、預防心肌梗塞再發、預防心房顫動或裝有人工瓣膜發生(腦部等)血栓等。

38. 抗凝血劑的使用量應如何拿捏？

定期回診時醫師會測量使用者的凝血功能來調整適當劑量。使用者自己也要注意是否有出血徵兆，如：容易瘀青、牙齦出血、血便、黑便、血尿、咳血、傷口血不止等。

39. 服用抗凝血劑應注意不要額外增加維他命 K 的攝取，哪些蔬菜富含維他命 K？

維他命K含量最高的綠色蔬菜（>500 mcg／100g）有：海帶、蕪菁葉、芽甘藍；次高（201-500 mcg／100g）有：菠菜、海藻、山黎豆、甘藍菜；第三高（101-200 mcg／100g）有：高麗菜、青花菜、花椰菜等。

40. 服用抗凝血劑需要注意綠色蔬菜的攝取量，aspirin 也一樣嗎？

深綠色蔬菜中的維生素K會降低warfarin的療效。一般而言只要維持固定的攝取量，不要一次攝取過多，加上定期監測INR，對療效不會有明顯影響。aspirin則不會受到深綠色蔬菜影響。

41. 毛地黃類藥品（digoxin）併用高纖食品會降低吸收嗎？

食物會延緩digoxin的吸收速率，但不會影響總吸收量。但是富含穀物纖維（bran fiber）的食物，卻有可能影響吸收量，因此應避免併用。

42. 何謂高纖食物？

高纖食物是指每一百公克固體食物中含六公克以上之纖維，五穀雜糧例如糙米、燕麥，及粗纖維多的疏果，例如芹菜、竹筍、梨子等。

43. 狹心症用的舌下錠多久會產生藥效？

舌下錠使用後應於五分鐘內即發生作用；若含一錠舌下錠五分鐘還不能緩解，應再含一錠，連續含三錠後仍不能緩解症狀時，應立即就醫。

44. 硝化甘油舌下碇有何副作用？

硝化甘油是一種血管擴張劑，主要副作用是臉部潮紅、頭痛、心悸、血壓降低。

45. 請問硝化甘油舌下錠過期是否一定要丟掉？開封後可以放冰箱保存嗎？

硝化甘油錠於開封後會慢慢失效，為了使用者能在需要時緩解症狀，建議開封半年後，丟棄剩餘藥品並更換新藥，以免真的需要使用時藥效不佳，造成危險。硝化甘油應置於室溫保存，不建議放冰箱。

46. 日本市售的成藥「救心」是什麼藥品？

「救心」乃是由多種生藥（蟾酥、麝香、牛黃、人蔘）煉製成的日本成藥。我國衛生主管機關並未正式核准進口。民眾有心臟方面疾病，應該尋求正當醫療管道，不要逕自購買成藥服用。

47. 男性會不會有更年期？

男性因無停經現象，所以不像女性一樣有明顯的症狀。逐漸減少分泌男性荷爾蒙及產生精子的能力與因年齡的增長而降低男性激素的產生和分泌，稱之為「男性更年期」。根據研究發現，因年紀增加而導致男性荷爾蒙減少並不是非常的顯著。一般而言，男人在五十歲之後，男性荷爾蒙才逐漸地減少。在四十到六十歲的年齡群約百分之七低於正常值，六十到八十

歲的年齡群約百分之二十低於正常值，而八十歲以上的約百分之三十五低於正常值。

其症狀包括：臉潮紅、發熱、冒冷汗、失眠、腰酸背痛、骨質疏鬆、焦躁、抑鬱、性功能失調、排尿障礙等問題產生等。

48. 男性攝護腺肥大會出現哪些症狀？一定需要藉由藥物或手術加以治療或控制嗎？

良性攝護腺肥大的常見症狀包括：

(1) 尿流變細。

(2) 開始解尿時很困難。

(3) 解尿時斷斷續續。

(4) 解尿完畢後還會繼續滴尿。

(5) 頻尿或有尿急感。

(6) 夜裡解尿多次（夜頻尿症）。

(7) 無法排空膀胱內的尿液。

良性攝護腺肥大病人的治療目標，主要是減緩疾病對病人帶來生活上的不便。主要的治療方式有三種，包括：觀察性治療、藥物治療、手術治療。並非所有攝護腺肥大的病患都必須接受治療，大約百分之二十症狀較嚴重的病患才需要接受進一步藥物或手術治療。因此罹患良性攝護腺肥大的病人應定期追蹤檢查自己

的身體狀況，以達到早期發現早期治療而有效控制疾病。

49. 甲型交感阻斷劑可以治療攝護腺肥大嗎？

甲型交感阻斷劑並不是用來治療攝護腺肥大，只是用來緩解它所造成的排尿困難。在膀胱的出口有一個括約肌控制排尿。而括約肌上有甲型交感受器，阻斷它可使括約肌放鬆而排尿較為容易。

50. 所有的攝護腺用藥都會造成男性胎兒的外生殖器異常嗎？

只有屬於第二型5α-還原酵素抑制劑的波斯卡Proscar®（finasteride）與適尿通軟膠囊Avodart® (dutasteride)會從皮膚吸收，造成男性胎兒的外生殖器異常。
萬一碰觸到藥品，應即刻以肥皂和水洗淨。

51. 長輩無法吞下藥錠，可不可將攝護腺用藥波斯卡 Proscar®（finasteride 5 mg／tab5）磨成粉後服用？

可以，但是不可讓懷孕或可能懷孕的婦女處理。
因為finasteride可能透過皮膚吸收，懷孕或可能懷孕的

婦女如碰觸壓碎的藥品，可能造成男性胎兒的外生殖器異常。

52. 常用的退化性關節炎治療藥品有那些？

常用的退化性關節炎治療藥品有：(1)乙醯胺酚（acetaminophen、paracetamol）：可以緩解疼痛及退燒。(2)非類固醇抗發炎劑（NSAIDs）：為環氧化酵素抑制劑，可消炎、緩解疼痛及退燒（如diclofenac、celecoxib等）。

53. 憂鬱症的症狀已經消失了，可以自行停藥嗎？

憂鬱症的症狀消失之後再持續治療一段時間，可以防止疾病復發。所以在病情好轉時，應該請醫師評估是否可以調整劑量或是停藥。停藥時應該採用逐步降低劑量的方式，慢慢停藥。突然停藥，可能導致病情復發，甚至比以前更嚴重。

54. 為什麼巴金森氏症需要長期服藥？有何相關配合事項？

巴金森氏症是一種漸進式的腦部退化性疾病，需要長

期用藥來調節腦部傳導物質以控制症狀；巴金森氏症
停藥後，會出現顫抖、行動障礙等症狀。有些病人需
配合復健運動，末期病人可能產生嚴重的行動障礙，
需要進一步的照顧。

🦁 55. 一年來都沒有癲癇發作記錄了，為什麼還需要繼續服藥呢？癲癇病人平日需要注意什麼？

癲癇是腦部不正常放電所導致的疾病，一段期間未發
生癲癇發作並不表示已經痊癒了。長時間沒發作時，
可以請醫師再評估是否可以降低藥量，並考慮慢慢停
藥，千萬不可自行停藥。突然停藥可能誘發癲癇發
作，甚至導致需要緊急就醫的癲癇重積狀態。平日應
維持正常的作息並避免菸酒。讓家人或常接觸者了解
癲癇發作的症狀以及發作時的處置辦法，可以減少發
作時帶來的困擾與危險。

十一

小孩及孕婦的用藥安全

1. 為什麼醫師開藥前會詢問小朋友的體重？

不同年齡層小朋友的發育、身高、體重之差異頗大，在治療藥品及劑量選擇上需做特殊考量。依據年齡與體重來計算，可以得到較精準的劑量，所以需要知道體重。孩童的處方箋上應該加註體重，以便藥師核對。

2. 如何計算兒童劑量？

兒童用藥是根據年齡及實際體重計算。

3. 兒童用藥一定要磨粉嗎？

會吞服藥丸時就可不必磨粉。

4. 小兒用藥是否需磨粉？磨粉後、劑量是否要調整？

(1) 基於安定性、劑型設計與藥品污染考量，且磨粉後易造成劑量不準確，因此如無必要，不宜將藥品磨粉。可能的話，應該考慮選用兒童專用的藥品。

(2) 磨粉適用於小兒或吞嚥困難的成人，由於研磨後顆粒變小，極易溶解，節省了錠劑崩解時間，但是藥品吸收的程度與錠劑相同，故劑量不需再做調整。

🐚5. 兒童服完藥水後需要再喝水嗎？

多喝水可以把黏在口腔及食道黏膜的藥品沖下去。增加藥品的吸收，也避免刺激食道。而服用糖漿、藥水後，為避免糖分遺留在口腔中，可能造成日後蛀牙的問題，或消除藥品的味道，建議服藥後仍需喝水。

🐚6. 藥水可以存放多久？

應注意藥品註明之保存方法及保存期限。例如：乾粉泡製後，有效期便大為縮短，且須冷藏保存，並在指定期限內用完，否則會變質、失效，用不完的藥水應丟棄。

🐚7. 小孩吃了藥如果吐出來要怎麼辦？

小孩吃了藥如果吐出來是否須再補一次劑量，需視其服藥後時間及藥品特性而定，不同藥品建議不同。小孩吃了藥如果馬上吐出來，藥品尚未經由腸胃吸收進入人體，此時可以讓小孩自己選擇服藥的姿勢、順序，給少量

食物或飲料改善藥品的味道，利用滴管或針筒型口服給藥器輔助，待安撫情緒、適時鼓勵及幫助後即可重新給他服藥。

8. 如何餵食嬰幼兒藥品？以果汁混合餵藥會影響藥效嗎？

嬰幼兒不適合強行灌藥。餵嬰幼兒藥品時，若方法不對，則容易嗆到，一般嬰兒的給藥準則為：

(1) 使用有刻度的滴管或針筒型給藥器。

(2) 將嬰兒抱在膝上，支撐他的頭部。

(3) 一次給少量的藥品，以免哽塞。

(4) 將藥品滴在口腔的後方或邊緣。

(5) 避開喝奶時間給藥，以免嘔吐情形發生。

除非特別指示，一般建議以開水服用，若希望增加甜度以誘使小兒服用，可另外加糖。千萬不可與葡萄柚汁併服。

9. 小孩誤食藥品，如何解決？

最好的方法是儘快就醫，並將剩餘的藥品、外包裝、藥袋、容器或嘔吐物保留，交由醫護人員進一步做分析判斷。

10. 小孩吃解熱鎮痛劑有何注意事項？

小孩吃解熱鎮痛劑應注意服用的時機和劑量，若有疼痛發生應儘快就醫。若是發燒應考量發燒的情況：低度發燒（耳溫、口溫、肛溫三十八點三度以內）應持續觀察八小時，不需給予退燒藥；若低度發燒持續七十二小時或大於三十八點三度持續二十四小時應立即就醫；發燒超過三十九度即可給予退燒藥並應就醫。幼兒不建議使用阿斯匹靈退燒，小孩用藥須根據年齡、體重決定每次服藥量，避免劑量過大，或服藥間隔時間太短，以免體溫下降過快。

11. 小朋友幾歲開始補充鈣片？

若由飲食中多攝取含鈣（例如：牛奶、奶製品、小魚乾、豆類及深綠色蔬菜等）的食物，並不一定要補充鈣片。一般而言，出生到半歲所需要的鈣攝取量約為四百毫克／天，半歲到七歲五百毫克／天，七歲到十歲六百毫克／天，十歲到十三歲七百毫克／天，十三歲以上八百毫克／天。

🐾 12. 成人用的維他命，可以給小孩吃嗎？用量多少？

應請教藥師或醫師正確的劑量，因為各種維他命在不同年齡層及不同的適應症都有個別的建議劑量，所以不要隨便將大人的維他命給小孩使用，以免產生維他命過量的問題。維生素建議量可於食品藥物管理局食品組網站查詢（http://www.doh.gov.tw）。

🐾 13. 小朋友可服用暈車藥嗎？

一般而言，兩歲以下之嬰幼兒不容易發生暈車的現象。對於已經知道會暈車的小朋友，可以在出發前半小時到一小時，讓小朋友服用抗組織胺類的暈車藥。正確劑量請參照藥品仿單。

🐾 14. 兒童服用暈車藥有那些注意事項？

兒童服用抗組織胺類暈車藥時可能有興奮反應，超過建議劑量時可導致興奮反應、痙攣、幻覺、呼吸抑制等現象，所以藥師在指導民眾服用暈車藥時應詢問年

齡、體重，並告知服藥時間及劑量，可能發生的副作用。兒童不可以使用含副交感神經拮抗劑的暈車貼片。

🐚15. 小朋友便祕時可不可以使用肛門灌腸劑？

幾個月大的嬰兒如果便祕，首先考慮增加水分及食物中纖維素的攝取。小於六歲的孩童，可使用軟便劑、甘油塞劑或甘油的灌腸劑。非醫師指示不得使用其他瀉劑。

🐚16. 為什麼小孩不適用灌腸劑？甘油球的傷害較小嗎？

灌腸劑開口有一較長的硬管，使用不當，容易造成肛門受傷，導致流血及發炎現象，嚴重者則可能引發肛門膿瘍。事實上，一般市售較廉價的甘油球，開口亦有硬管，且有粗糙邊緣，如果使用不當、角度不對，很容易戳傷直腸肛門，造成潰爛。此外灌腸劑的用量也不易精確化，有的灌腸劑是電解質溶液或肥皂水，容易引起電解質不平衡。所以小孩使用灌腸劑或甘油球，必須非常小心，不要濫用。

🐚 17. 如何使用肛門塞劑？

栓劑的正確使用方法：

(1) 將手洗淨。

(2) 除去栓劑外的錫箔包
裝，用水沖一下以潤
濕栓劑（若栓劑已軟
化，可先用冷水沖洗
使之變硬再除去外包
裝）。

(3) 側躺下來，用手指將
栓劑塞入肛門約五公
分深處。

(4) 稍用力夾住臀部，數分鐘內保持躺姿，不要站起來
或走動。

(5) 用後記得要洗手。栓劑不用時要儲存在陰涼處，以
避免過熱溶化而變形。

🐚 18. 肛門塞劑會不會造成肛門受傷呢？

正確使用肛門塞劑並不會造成肛門受傷。正確用法請
參照前一題說明。

19. 治療尿布疹時,如何使用氧化鋅和類固醇?

在急性紅疹而無續發的細菌或念珠菌感染可以短期使用低效價類固醇藥膏(如 hydrocortisone),待症狀改善後改用氧化鋅的軟膏即可。如果有細菌或念珠菌感染,建議就醫治療。(一般細菌感染的症狀有患處有膿液分泌物滲出,皮膚有較厲害的紅腫熱痛症狀及較嚴重的破皮。而念珠菌的感染症狀有尿布疹發紅區內會有一圈一圈的病兆。)

20. 尿布疹可以用爽身粉嗎?

症狀輕微的尿布疹可使用爽身粉,但必須確定皮膚已乾,否則爽身粉容易結成塊狀,對皮膚造成進一步的刺激。

21. 什麼是安全瓶蓋?使用安全瓶蓋有什麼目的?

防止兒童開啟的安全瓶蓋指的是經由特殊設計需要壓著瓶蓋才能轉開或需對準卡榫才能打開的瓶蓋。百分之八十的五歲以下小孩不能在五分鐘內打開,將藥物

放在有安全瓶蓋的藥罐中，可防止兒童誤食而發生中毒。

22. 小兒疫苗接種後照顧者應該注意哪些事項？

小兒接種疫苗後可能產生一些輕微的副作用，常見的有發燒、接種部位局部腫脹、發紅，可給予冰敷，緩解疼痛，接種後應多喝開水與休息，如有出現異常反應，就需送醫處理。接種疫苗前照顧者應主動向接種單位索取詳細的疫苗介紹單張，以便瞭解小兒接種後可能出現的反應及注意事項。

23. 懷孕時應不應該服藥？

懷孕時若非必要，盡量不要使用額外的藥品，但治療某些慢性病時仍須定期服藥。藥物對胎兒的影響，依藥品性質、母親的懷孕期、服藥期間與劑量及母體的代謝能力都有關係。一般自受孕起二星期至三個月，藥品對胎兒的影響最大，盡可能避免用藥，建議與您的醫師或藥師討論將用藥的情形，以利評估及追蹤。有些疾病對胎兒的影響遠大於藥品對胎兒的影響，懷孕時有需要用藥控制的疾病時，應在醫師監控下調整到最低有效劑量。

🐚24. 慢性病患懷孕後是否該繼續服藥？

有些慢性疾病對胎兒的影響遠大於藥品對胎兒的影響，懷孕時是否需要繼續用藥控制慢性疾病，醫師會審慎評估用藥的利弊，並會選擇對胎兒影響較小的藥品及劑量。故慢性病患在準備懷孕時，即應與主治醫師討論此問題，並做好藥物調整的計畫。

🐚25. 懷孕期間若有不適，是否服用中藥較安全？

「中藥比較溫和」絕對是錯誤的觀念，懷孕中若考慮服用中藥，請務必向合法中醫師諮詢，諮詢時務必告知已懷孕之情形。

🐚26. 懷孕期間是否可以注射德國麻疹疫苗？

絕對不可以。德國麻疹疫苗雖是一種減毒性的疫苗，但仍可能對懷孕前三個月的胎

兒產生傷害。所以施打德國麻疹疫苗後三到六個月內應該避孕。德國麻疹可能造成的傷害包括：眼（白內障）、耳（耳聾）、心臟（先天性心臟病），其它有小眼症、青光眼、腦膜炎、肝炎，子宮內胎兒生長遲滯等。至於是否產生畸胎，可藉著由胎臍帶血管穿刺（約十六到十九週做），看胎兒是否的確受到感染，或藉由高層次超音波檢查，看是否有腦部及心臟之畸形，或子宮內胎兒之生長有明顯遲滯。

27. 長期服用治癲癇藥品的女性可以生小孩嗎？

癲癇發作對胎兒的影響超過藥品本身對胎兒的影響。長期服用癲癇藥品者，打算懷孕之前，必須先與醫師討論，瞭解懷孕對本身及胎兒的健康影響及風險；將用藥調整至最少、最適宜的種類，並且病情控制穩定的情況下再懷孕。懷孕期間務必記得要定期回診並監測藥品血中濃度，才能將對母親及寶寶的危險性降到最低的程度。

28. 有糖尿病之孕婦該如何服藥？

口服降血糖藥品可能會通過胎盤，故懷孕期間須改為胰島素注射。為了避免高、低血糖引起的不良反應，

密切的監測血糖值，以作為調整胰島素劑量的參考是很重要的。

29. 孕婦吃綜合維他命，有關係嗎？

孕婦使用維生素需適量，如過量補充維生素A有致畸胎性，詳細維生素建議量可於食品藥物管理局食品組網站查詢（http://www.doh.gov.tw）。

30. 維他命A過量會對胎兒造成什麼影響？

服用過量的維他命A會造成胎兒生長遲滯，顱內壓升高。對孕婦而言，每日攝取量應低於一萬國際單位，以免造成中毒及胎兒畸形（美國建議劑量則為八千 IU 以下）。

31. 治療甲狀腺機能亢進的藥品，對胎兒是否有影響？

有可能，建議與內科醫師討論，選擇對胎兒影響較小的抗甲狀腺藥物（如：PTU 類抗甲狀腺藥物），且在病情許可下，醫師可能會建議略為調降劑量甚至暫時停藥。

🐚32. 為什麼孕婦不能使用陰道送藥器？

懷孕期間應避免使用陰道送藥器，以免刺激陰道引發子宮收縮。

🐚33. 避孕藥有何副作用？是否含有荷爾蒙成分？

避孕藥就是外來的荷爾蒙，一般為黃體素加上雌激素以抑制原本的排卵機制。剛服用者，常會有噁心、不正常出血等情形。其他的常見副作用包括青春痘、體重上升、腹痛、頭痛、月經不正常、乳房脹痛等，嚴重副作用包括高血壓、膽囊疾病、血栓等，但不見得每個人都會發生。

🐚34. 作月子時雞酒之酒精是否會分泌到乳汁中？

酒精在乳汁的濃度比在母體血中的濃度稍高百分之十左右。母親

偶爾飲少量酒，對嬰兒並沒有明顯傷害。若食用雞酒等含酒精的食物，建議在食用後至少一到兩小時後再進行授乳。長期酗酒或酒精中毒的母親，則不應授乳。

35. 授乳時的用藥需要比懷孕時更小心？

都應該要小心。很多藥品在乳汁中的濃度和血中濃度差不多，所以嬰兒吸了乳很可能會造成副作用。因此孕婦或是哺乳的婦女都應告知醫療人員以減少不適合的藥品使用。

36. 授乳婦女服藥期間是否可以餵母奶？

藥品可能會出現在母乳中，造成給嬰兒間接服藥。目前有些藥品對於是否會分泌母乳中已有確切的資料，故授乳婦女使用藥品時，應該詢問醫師或藥師是否可以服用此藥。若無法得到這類資料時，為安全起見，建議授乳婦女服藥期間，短期以市售配方奶粉取代母奶。

37. RU486和事後避孕丸有什麼不同？

RU486是用在懷孕四十九天內的墮胎藥，必須和前列腺素搭配使用，而事後避孕藥是高劑量的女性賀爾

蒙，藉由擾亂體內女性賀爾蒙週期，使受精卵不易在子宮著床，如后安錠（levonorgestrel）在七十二小時內使用第一錠，隔十二小時再服第二劑，則達到避孕的效果。

38. RU486在醫院購買價格高，如果在社區藥局購買會較為便宜嗎？

不會，RU486是處方藥，依法藥局不可直接販賣，但可以依據處方調劑。然而此藥服用後需由醫療人員觀察數小時，以免發生危險，有流血或腹部絞痛應就醫處理，如果流產不成功也須就醫，因此醫療院所之費用包含醫師監測費用。

12

婦女衛生保健
及更年期用藥

1. 女性更年期常見的症狀？

女性更年期時雌激素分泌逐漸降低，最常出現的症狀有臉潮紅、夜間盜汗等。另外憂鬱、焦躁不安、情緒起伏、失眠、關節痛、肌肉疼痛、陰道及尿道乾澀萎縮及性交疼痛等情況亦常見於更年期。

2. 更年期早於何時為不正常？

一般認為早於四十歲以前才叫不正常，稱為早發性停經。

3. 更年期婦女需要補充女性荷爾蒙嗎？

目前認為荷爾蒙治療仍是緩解婦女更年期症狀（如熱潮紅、盜汗、心悸、失眠、陰道萎縮乾澀、尿道萎縮等）最快速、有效的方法。但如果沒有更年期症狀，單純只是要預防骨質疏鬆，則不建議用荷爾蒙治療。不同的藥品、劑型，不同的病人建議劑量會有不同。先經醫師評估，並充分了解益處及可能造成的風險後才可使用荷爾蒙療法。

4. 荷爾蒙類藥品在什麼時間服用最好？

依個人習慣，於最容易記住的時間按時服用。

5. 更年期可補充哪些營養素以減輕身體不適？

均衡的營養、適量的維生素、礦物質及鈣質補充，是改善更年期症狀首選方法。豆類、穀麥類、亞麻子、苜蓿芽等含有植物性荷爾蒙，被認為對於停經後婦女具有一些雌激素作用，但對熱潮紅等更年期症狀之療效尚未有定論。咖啡、酒及辛辣食物會使發生熱潮紅的頻率增高，應減少攝取。

6. 如果不吃藥的話，更年期症狀會持續一輩子嗎？

通常熱潮紅、盜汗等更年期症狀一般只會持續幾年，但同樣是因為體內雌激素量降低而造成的骨質疏鬆問題，則是會愈來愈嚴重。（骨質疏鬆不算更年期症狀。）

7. 女性荷爾蒙已經吃很多年，是否要停用？

目前醫界並不建議沒有症狀的更年期婦女使用荷爾蒙補充療法。請與醫師討論是否該停用。

8. 荷爾蒙停藥需慢慢減量嗎？

許多人在使用荷爾蒙治療更年期症狀一段時間後突然

停藥不會有問題產生，但有一些人會再出現熱潮紅、夜盜汗等症狀，雖然這些症狀通常都不嚴重而且過一段時間就會消退。慢慢停藥確實可降低這種情況的發生。

9. 週期性或連續性荷爾蒙療法會造成出血現象嗎？

在使用初期，週期性荷爾蒙療法會造成週期性生理出血；連續性荷爾蒙療法則可能會有不規則的出血現象，這些狀況通常在六至十二個月後緩解。

10. 若已沒有更年期的不適症候，還需持續服用荷爾蒙補充療法嗎？

女性荷爾蒙補充療法只應使用於無法使用非荷爾蒙類替代療法的骨質疏鬆高危險群。若已無更年期不適症狀，應優先考慮其他非荷爾蒙替代療法（如雙磷酸鹽或是SERM）來預防骨質疏鬆。

11. 女性更年期只需補充黃體素（不需補充雌激素）嗎？

一般荷爾蒙補充療法指的是補充雌激素而非黃體素。

雖然有些研究指出只補充黃體素仍有百分之七十患者熱潮紅現象可獲得改善，骨質周轉率可降低，可能對骨質疏鬆有預防作用，但仍未被明確證實。

而併用黃體素的目的是預防子宮內膜過度增生，減少子宮內膜癌的發生。

12. 有乳癌之家族病史者，可以服用女性荷爾蒙嗎？

大型臨床試驗中顯示，使用女性荷爾蒙有提高乳癌發生率的不良影響。此外，當一等親有乳癌時，得乳癌的風險升高一點五到三倍，尤其一等親發生乳癌的年齡少於四十五歲時，風險更高；而當有二等親有乳癌時，則得乳癌的風險上升百分之五十。故有乳癌家族病史的病人，須與醫師討論後，由醫師決定是否使用女性荷爾蒙。

13. 更年期如沒有熱潮紅等症狀需不需要補充荷爾蒙？

如果沒有任何更年期症狀，不需要補充荷爾蒙。但是需要注意是否有骨質疏鬆的情形，若有，可與醫師討論是否使用其他藥品預防或治療。目前不建議使用荷

爾蒙來預防骨質疏鬆。

14. 荷爾蒙貼片的副作用跟吃的一樣嗎？目前價錢很貴嗎？

一般來說，使用荷爾蒙貼片較不易引起噁心、頭痛、乳脹、靜脈血管栓塞等副作用。另外因為使用貼片可減少藥品在肝臟的代謝，亦較不影響血脂肪及凝血因素，三酸甘油脂高或有明顯肝功能異常者可考慮改用貼片，不過價格較貴，健保有給付限制。

15. 有肝炎的人可以使用荷爾蒙製劑嗎？

口服避孕藥或口服荷爾蒙治療劑，主要經由肝臟代謝，肝功能不好的人必須經醫師診斷與評估，並嚴密監控之下才可使用。

16. 荷爾蒙可否降低膽固醇？

雌激素可以降低血清中低密度脂蛋白濃度，增加高密度脂蛋白的濃度，但是也會增加三酸甘油脂的濃度。但近來臨床試驗顯示，荷爾蒙不僅對心臟血管無保護作用，甚至可能還有壞處。

17. 有巧克力囊腫的婦女需補充荷爾蒙嗎？

有巧克力囊腫（一種子宮內膜異位）的人若使用荷爾蒙製劑治療，其目的不在補充荷爾蒙，而是藉由外來的荷爾蒙來抑制本身的排卵機制，減少月經流量及使異位之子宮內膜退化，如此可使子宮內膜異位所造成的疼痛情形獲得改善。

18. 切除子宮的婦女是否需服用荷爾蒙？

更年期之前：作卵巢切除者，才需考慮服用荷爾蒙；只切除子宮者，不需補充荷爾蒙。

更年期之後：使用荷爾蒙補充療法之婦女，有子宮者須給予雌激素及黃體素，已切除子宮者，僅需給予雌激素即可。

19. 避孕藥是荷爾蒙嗎？

是的，避孕藥不管是口服、針劑、貼片或皮下植入等劑型，其成分均為合成的雌激素與黃體素的混合型或單純只含黃體素。其避孕原理為藉由外來的荷爾蒙造成負回饋，進而抑制卵泡成熟及排卵，另外避孕藥亦可干擾受孕、著床的環境，達到避孕的效果。

🐻20. 維他命 E 對更年期的影響？

維他命E是一種抗氧化劑，一直被認為可用來抗老化、預防心血管疾病，不過它的效果未經證實。二〇〇三年知名醫學期刊《The Lancet》報告指出：抗氧化劑維他命，對於降低心血管疾病的致死率，其實並無助益。目前並沒有對更年期症狀緩解的臨床報告。

🐻21. 停經後婦女如何正確服用鈣片？

停經後婦女應每日服用一千毫克以上的元素鈣，勿一次服用大量鈣質，分多次服用吸收較好。碳酸鈣、乳酸鈣、葡萄酸鈣等需要足夠的胃酸才能崩散，因此飯後服用吸收較好，同時配合大量開水，避免造成腸胃道的刺激。檸檬酸鈣溶解度高，不需胃酸活化，所以可在飯前服用。服用鈣片應避免同時攝取草酸含量高的食物，以降低結石的發生率。有腎臟疾患的病患應小心使用磷酸鈣，尿毒症病患並不適合使用檸檬酸鈣。鈣質可能會與某些藥物產生交互作用，服藥前應詢問藥師或醫師。

22. 停經後婦女可以服用福善美（Fosamax®）來預防骨質疏鬆嗎？

是的，福善美的適應症為停經婦女及男性骨質疏鬆症之治療，也可以降低停經後婦女因骨質疏鬆而發生骨折之危險性。目前健保給付限用於停經後婦女，而且須合併有骨質疏鬆症引起之脊椎壓迫性骨折或髖骨骨折，若想服用福善美來預防骨質疏鬆，需憑醫師處方自費購買。

23. 選擇性女性荷爾蒙受體調節劑（SERM）在藥局可買到嗎？是否真的有效？副作用真的那麼少嗎？

這是處方用藥，而且應該在醫師審慎評估後才可使用，不應自行到藥局購買使用。SERM 對於骨質疏鬆的預防的確有效，但對更年期因缺少女性荷爾蒙所造成的症狀如熱潮紅、盜汗、陰道萎縮等沒有幫助，甚至熱潮紅是它的一項副作用，其他副作用包括腳痙攣、靜脈栓塞發生機率增加。

24. 何謂抑鈣激素？有什麼作用？

抑鈣激素（calcitonin）是人體自然生成的一種激素，由甲狀腺分泌出來。目前在臺灣上市的為人工合成的鮭魚抑鈣激素，它具有抑制鈣質從骨骼釋放及降低血鈣濃度的作用，為停經後骨質疏鬆症的後線治療用藥，此藥必需經過醫師診斷後處方使用。

25. 為什麼抑鈣激素可經由鼻腔噴入？

抑鈣激素屬多胜肽（polypeptide）類藥品，口服服用時會被胃酸分解，所以口服無效。抑鈣激素可快速由鼻黏膜吸收而達到全身作用，所以市面上有鼻用噴霧劑供醫師處方選用。

26. 抑鈣激素除了鼻用噴霧劑還有沒有其他使用方式？

目前市面上還有注射劑型，供肌肉注射或皮下注射，由醫師處方使用。

27. 更年期婦女為何尿道易受感染？只有藥品能改善嗎？

因為雌激素分泌逐漸減少，會導致泌尿生殖系統上皮及結締組織萎縮、酸鹼值提高，容易使細菌滋生而造成陰道及尿道感染。若有細菌感染，應確實遵照醫囑正確地使用抗生素。陰道局部給予荷爾蒙，除可改善陰道萎縮症狀，亦可降低尿道感染反覆發作的風險（可能是因為改變陰道菌落的緣故）。

28. 喝蔓越莓汁對尿道感染防治有效嗎？

蔓越莓中有一種叫前花青素（proanthocyanidins）或稱濃縮單寧酸（condensed tannins）成分，可防止大腸桿菌黏著在泌尿道內側，對於婦女常見的泌尿道感染有預防之功效。不過最重要的還是保持良好的衛生習慣，平日多喝水、少憋尿，一旦發生感染，建議您就醫治療。

29. 需要每天使用陰道沖洗液？

不需要，因局部清潔劑大多為鹼性，頻繁使用或濃度過高時，會造成陰道酸鹼度改變，陰道正常菌落減少，反而易造成其他致病菌落繁殖，而導致陰道炎。

當長期使用這些清潔劑時，也常會造成會陰部皮膚因過度刺激，而發生過敏性皮膚炎以及搔癢等症狀。

30. 月經來時可使用陰道栓劑嗎？

如果病情許可，建議在月經過後使用藥品。一般陰道用藥治療的多為感染性疾病，如子宮頸糜爛、滴蟲或黴菌性陰道炎等，必須按醫療人員的指示用藥。經期仍要繼續用藥，不可擅自中斷。月經會縮短藥品停留在陰道中的時間，而導致效果較差。

31. 如何正確使用陰道塞劑？

陰道塞劑應於睡前使用，因為睡覺時身體平躺，藥物較不容易流出。使用陰道塞劑之前應洗淨雙手，將外封膜拆開後，採半蹲坐姿或蹲下或平躺雙腿打開的姿勢，將陰道塞劑推入陰道口約二個食指指節深。第二天藥物溶化，有分泌物流出是正常的現象，可以使用護墊避免弄髒底褲。治療時務必遵照醫囑將藥品用完，切勿因症狀好轉而自行中斷療程；若治療時遇到生理期，請用衛生棉代替衛生護墊，並勤加更換。

32. 經痛時可以服用止痛藥嗎？

原發性非骨盆腔病變而導致的經痛，使用非類固類消

炎止痛劑就可以緩解大部分的疼痛。服用止痛藥的正確時間，是在一開始感覺疼痛時就服用，視需要約四到六小時後再服用一次。服用藥品之前應該詢問藥師或醫師正確的服用方式，也可閱讀藥品仿單或藥盒外包裝來取得止痛藥的使用資訊，短期使用止痛藥並不會造成藥物成癮。

33. 那些藥可以緩解月經痛？

子宮內膜的前列腺素過度分泌是導致月經痛及鄰近組織酸痛的主要原因。阿斯匹靈對月經痛的治療效果不佳。前列腺素抑制劑，如：ibuprofen，對月經痛及經期身體酸痛有很好的治療效果，適時服用可以解除此困擾。若服藥無效時必須就醫，請醫師加以評估診治。

34. 五天後想要出國玩，然而可能剛好碰到經期，如果想要玩得盡興，那麼該選擇「延經」還是「催經」呢？

不論是服延經或催經藥，通常在停藥後三到五天月經才會來。如選擇催經，通常要吃三天，再等三到五天月經來，剛好遇到出國期間。所以應該選擇延經，從

現在開始服藥到回國的前三天，就能控制經期。但是這種作法會改變體內荷爾蒙，所以應盡量避免。

13
減肥藥與藥用美容

1. 一般人一天需要攝取多少熱量？

依照工作量的輕重來區分。

輕度工作者：三十大卡／體重（公斤）；

中度工作者：三十五大卡／體重（公斤）；

重度工作者：四十大卡／體重（公斤）。

2. 如何計算基礎代謝率？

基礎代謝率可以用粗估的方式計算，每公斤每小時約消耗一大卡，以體重六十公斤為例，一天所需之基礎代謝率為：60公斤×1大卡／小時×24小時 = 1440大卡，但是基礎代謝率會隨著年齡增長而下降，自二十五歲以後每十年約下降百分之五至十，這也是為什麼食量沒有增加，但身材卻會隨著年齡漸漸變形的原因。食物熱效應＝（BMR＋活動量)×百分之十。

3. 如何計算食物的熱量？

食物中可以提供熱量的營養素包含醣類（碳水化合物）、蛋白質、脂質、酒精、有機酸等。它們所含的熱量，以每公克為單位，分別是：醣類（碳水化合物）四大卡、蛋白質四大卡、脂肪九大卡、酒精七大卡、有機酸二點四大卡，以脂質所提供的熱量為最

高。計算食物中所含的熱量，可以利用以下公式計算：熱量（大卡）＝醣類克數×4 kcal/g＋蛋白質克數×4 kcal/g＋脂肪克數×9 kcal/g＋酒精克數×7 kcal/g＋有機酸× 2.4 kcal/g。

4. 如何判別理想體重、過重、肥胖？

體重是否符合標準之判別方式如下：

標準體重：理想體重 ± 10 %或BMI介於18.5～23.9。

體重過重：超出理想體重10%～20%或BMI介於

24.0~26.9。

肥胖症：超出理想體重20%以上或BMI超過27.0。

體重不足：小於理想體重10%～20%或BMI小於18.5。

5. 何種運動方式對減肥最好？

適度的運動：每週至少三天從事有氧運動且每次持續三十分鐘以上；運動強度達到會喘但仍可說話的程度或心跳每分鐘一百三十下，並持之以恆。

6. 減重時該如何調整所攝取的熱量？

減重應以每日減五百千大卡熱量為原則，一個月下來就可以減一萬五千大卡的攝取，而每公斤的脂肪組織約含有七千七百大卡的熱量，所以每月約可以減重二

公斤。

🦛7. 為什麼減重時會出現停滯期？

減重的過程中，大家一定有這樣的經驗，一開始的時候成效顯著，然而，當減重計劃持續一段時間後，卻發現體重怎麼也降不下來，這就是所謂的「減重停滯期」，為什麼持續降低熱量的攝取，卻無法有效的讓體重持續下降呢？這是因為我們的身體有自然的保護機制，當身體警覺熱量來源減少，為了節省能量消耗，就會讓基礎代謝率（BMR）下降，當基礎代謝率降到極低時，即使只攝取極少的熱量，身體還是會努力地挪出一些熱量來以備不時之需。

🦛8. 為什麼不能於短期間內減少太多的體重呢？

減重時最忌諱一下子減少大量熱量的攝取，減重時攝取的總熱量，絕不可低於維持身體所需的最低能量（身體的基礎代謝量），因為一旦身體自我保護機制作用，基礎代謝率（BMR）開始下降，會導致身體保存熱量的能力增加，活動量降低，心跳也跟著減慢等，反而減緩減重的進度，所以減重應採循序漸進的方式，並搭配適當的運動計畫，調整生活模式，切勿急進！

9. 目前在臺灣核准上市的減肥藥品有幾種？

目前衛生署核准的減肥藥只有下面二種。

1. sibutramine（Reductil®，諾美婷）：藉由對中樞神經的作用，達到抑制食慾目的。

2. orlistat（Xenical®，羅氏鮮）：抑制腸胃道分解脂肪的酵素，減少脂肪吸收。

10. 減肥藥會不會傷身？

其實任何藥品都有副作用，但不一定會發生；減肥藥也不例外。一般而言，當肥胖造成疾病而需要使用減肥藥時，只要遵照專業醫療人員指示服用合格的減肥藥品，應該不會對健康造成不良的影響。但服用來路不明或未經證實的減肥偏方，反倒會對健康造成極大負擔與傷害。

11. 減肥藥停止使用的話，體重會不會恢復？

減肥藥停止使用後，仍需持續控制飲食及保持適度的運動，以免復胖。若不能持續控制飲食及保持適度的運動的話，當然會恢復原來的肥胖。

12. 諾美婷有何副作用？哪些人不可以服用諾美婷？

常見的副作用包括：頭痛(30.3%)、口乾(17.2%)、厭食(13%)、便祕(11.5%)、失眠(10.7%)、頭暈(7%)、心悸、高血壓、感冒症狀(8.2%)、關節痛(5.9%)、焦慮(4.5%)、皮疹(3.8%)、肌痛(1.9%)、肝指數升高(1.6%)、出汗、味覺障礙等。

確知有心血管疾病（包括：冠狀動脈疾病、心臟病發作、心律不整、充血性心衰竭、周邊動脈疾病、未良好控制之高血壓等）病史的人禁止服用該藥品。

13. 服用諾美婷有何需特別注意事項？

諾美婷可能導致血壓升高、心悸，在服用諾美婷之前應該先測量血壓及脈搏，且服用期間應該定期監測血壓及脈搏。

諾美婷可能和多種藥品產生嚴重的藥品交互作用，包括血清素症候群serotonin syndrome。建議服用諾美婷的人，應該讓醫師知道所有正在服用或將服用的藥品，尤其是：減肥藥、鼻充血解除劑（phenylephrine, pseudoephedrine等）、止咳劑（dextromethorphan）、抗憂鬱劑（fluoxetine,

fluvoxamine, paroxetine, sertraline, venlafaxine等）、鋰鹽、偏頭痛用藥（dihydroergotamine, sumatriptan）、鴉片類止痛劑（meperidine, pentazocine and fentanyl等）。諾美婷絕對不可與MAOI類藥品（phenelzine, selegiline等）同時服用，兩者至少要間隔2週。

14. 服用羅氏鮮有什麼副作用？

羅氏鮮會抑制腸胃道脂肪酶，可以減少食物中脂肪的吸收，所以未吸收的脂肪會以糞便方式排出，較常見的副作用是排油便，即使放屁也需小心因可能會有油斑（沾褲）。另外也有可能造成胃腸脹氣、肚子絞痛、急便、排便增加或者是排便失禁，但這些副作用多屬於短暫且輕微的。腸胃副作用反映它的藥理作用，吃越油腸胃副作用越明顯，因此副作用也可作為飲食調整的指標。

15. 服用羅氏鮮有何特別注意事項？

羅氏鮮可能會影響脂溶性維他命的吸收，建議每日補充一粒綜合維他命，但兩者需間隔兩小時以上，以確保吸收。
老年人、孕婦、慢性吸收不良或膽汁鬱滯的病人不適合服用羅氏鮮。

16. 請問羅氏鮮需在飯前或飯後吃？

羅氏鮮需每日服用三次，於三餐進食時或餐後一小時內服用一顆（一百二十毫克）。原因為羅氏鮮主要作用是抑制腸胃道消化脂肪所需的酵素，以減少腸胃道對脂肪的吸收，增加脂肪由糞便排出而達到減重瘦身的目的。如果在飯前或飯後一小時後再服羅氏鮮，就無法減少胃腸道對脂肪的吸收，也不能增加脂肪由糞便排出，就不能達到減重瘦身的目的。

17. 「雞尾酒減肥療法」的配方含有不當使用的藥品嗎？

所謂「雞尾酒減肥療法」的配方中添加了多種藥品。配方中可能添加了利尿劑、甲狀腺荷爾蒙、瀉劑等，非衛生署核准用於減肥的藥品，如果使用不當時可能會危及健康。

18. 市售減肥茶通常含有那些成分？大量或長期使用會不會傷身體？

市售減肥茶常含番瀉葉，其中所含番瀉葉苷

（sennosides）超過政府規定之限量者（每日用量所含番瀉葉苷為十二毫克以上者），需以藥品管理（即應申請藥品許可證），不可當成一般茶包食品。

番瀉葉為刺激性瀉劑，長久使用可能導致大腸正常功能的喪失，不宜大量或長期使用。

19. PPA 現在是否已經被撤架？

含PPA（Phenylpropanolamine hydrochloride）成分藥品，因有導致出血性中風之危險，衛生署已於九十五年十二月一日起廢止該藥品許可證。

20. 吃纖維性食物比較容易飽，可以減肥嗎？

纖維素無法被腸胃吸收，不提供熱量，但能刺激蠕動，利於排便。由於纖維素在腸道中占有體積，會產生飽足感，相對減少食物攝取量。至於效果則因人而異，大量攝取會影響礦物質的吸收及平衡，也應多喝水，否則有脹氣、腹痛、腸阻塞危險。

21. 減緩糖分吸收之藥品可以拿來減肥嗎？

目前衛生署核准的減肥藥只有下面兩種：

(1)藉由對中樞神經的作用，達到抑制食慾目的：例如：sibutramine（Reductil®，諾美婷）。

(2)抑制腸胃道分解脂肪的酵素，減少脂肪吸收：例如 orlistat（Xenical®，羅氏鮮)。

至於減緩糖類吸收的藥品並未核准用在減肥。

22. 肛門浣腸劑或緩瀉劑是否可作減肥用？

不可以，會導致間歇性腹瀉並使胃酸分泌減少、降低食慾。長期使用容易導致貧血、腸胃疾病，也會造成習慣性便祕、電解質不平衡與水分缺乏等。

23. 如何選擇防晒品？常見的主成分及防護範圍為何？

防晒品的選購有幾項原則：防護力要全面而足夠、清爽不油膩、基劑〈用來溶解主成分的東西〉不具致粉刺性。

常見的主成分及防護範圍如下：

1. Cinnamates：防紫外線B光。

2. Anthranilates：防部分紫外線A光。

3. Benzophenes：防紫外線B光和部分A光。

4. Parsol 1789：防紫外線A光和部分B光。

5. Mexoryl SX：防部分紫外線B光和部分A光。

6. Titanium dioxide：防紫外線A光和B光。

7. Zinc Oxide：防紫外線A光和B光。

24. SPF15可保持四百五十分鐘，為何每兩到三小時須補充一次？

SPF15指的是防晒乳液可延長晒傷時間約十五倍。如果原本一個人經過三十分鐘後會晒傷，塗了SPF15的防晒乳液可以延長晒傷時間至四百五十分鐘。每二到三小時補充防晒乳，是因為每個人受日晒反應不同，再加上汗水可能使防晒乳流失，手或衣服可能擦掉了防晒乳等。

25. 防晒係數愈高愈好嗎？多少就可以達到防晒的效果？

理論上越高越好，一般SPF15-20即可不晒傷，但需要視情況適時補充。SPF是指防UVB的防晒係數，若要防UVA，要看PA值。

26. 防晒乳液要擦多厚？

適量即可，擦得太厚容易使得防晒乳液的溶液基劑累積在毛細孔而引起痘痘；擦得再厚防晒的效果是一樣的，不會隨之增加。防晒乳最重要就是要每隔一段時

間補擦，以持續防晒的效果。

27. 為何晴、陰雨都應擦防晒乳？

一般人認為陰天或在室內，「看不到」太陽，所以不用防晒，其實這是不正確的。因為光線散射與折射的作用，不論晴天雨天，室內室外，紫外線是無所不在的，所以防晒品必須每天使用。日常保養，使用SPF15即可，日晒之前三十分鐘擦，效果較佳。

28. 衣物包裹著皮膚，只露出臉和手掌，是否影響維他命D之吸收？

現代人營養充足，不需靠多晒太陽來產生多餘的維他命D。因此，衣物包裹著皮膚，只露出臉和手掌，並不會影響維他命D之吸收。而且，根據統計，一天晒五至十分鐘的太陽就足夠了，其中又以早晨或黃昏的時候為宜。

29. 青春痘的治療有那些外用製劑？

青春痘（痤瘡）的治療，只能有控制的效果，無法治癒。

外用療法使用的藥物可分為：

(1) 角質溶解劑：較常見的為硫磺、過氧化苯甲醯（benzoyl peroxide）、維生素A酸衍生物、杜鵑花酸（azelaic acid）、水楊酸（salicylic acid）與雷瑣辛（resorcinol）等，有乾燥與脫皮作用，而減少粉刺或丘疹，但無預防作用。不過因具有刺激性，也可能使發炎加重。

(2) 抗生素製劑：如四環素、紅黴素等，可抑制毛囊內微生物的繁殖，減少粉刺及膿疱的形成。

此外，每天用肥皂清洗二至三次，可去除皮膚上油脂，也可以有幫助。

🦚30. 使用維生素A酸治療青春痘時應注意什麼？

維生素A酸類產品可以清除阻塞毛囊的角質，並促進表皮細胞新陳代謝。每天晚上洗臉後在患部塗抹薄薄一層，勿沾到眼睛、口、鼻的黏膜。維生素A酸具光敏感性，建議夜間使用，白天需使用者應配合防晒。使用初期可能會出現發紅、脫皮、刺痛等現象，稱為「A酸性皮膚炎」，需三至四星期適應。

🐾31. 含藥化妝品所含果酸和一般保養品的果酸成分有什麼不同？

衛生署規定市售保養品果酸濃度必須為百分之十以下，含藥化妝品所含的果酸則為濃度百分之十以上。不同濃度的果酸作用不同，百分之三以下的果酸只有保濕的作用，百分之三以上才有美白效果，百分之十以上的果酸另有縮小毛孔的作用。

🐾32. 經常使用果酸會不會有不良反應？

使用果酸的頻率應視自己皮膚的敏感程度而定，避免過度使用。果酸換膚後的皮膚較無保護作用，易產生光過敏的現象，因此在皮膚恢復正常前，絕對要避免日晒（不要使用防晒乳液，以免造成皮膚更多的刺激）。皮膚恢復正常後若要外出，最好使用防晒乳液，以免紫外線造成色素沉著，應在醫生的評估下進行，以免造成傷害。

🐾33. 現在熱門的左旋C和維生素C（vitamin C）一樣嗎？

一樣的。維生素C含左旋維生素C與右旋維生素C，人

體不能利用右旋維生素C，只能利用左旋維生素C。

34. 外用和內服的膠原蛋白產品，哪一種的效果比較好？

理論上膠原蛋白分子大，不能被皮膚表面吸收。無論是內服、外用的膠原蛋白，均無法準確將膠原蛋白帶至皮膚正確的位置，並不具有補充或是重組臉部膠原蛋白的作用。直接注射在皮膚上的產品最有效果，但目前市售膠原蛋白產品種類眾多，成分含量不一，劑型多樣，目前並無完整性或具公信力的比較。

35. 膠原蛋白會流失，該如何補充呢？

年輕的皮膚看起來光滑飽滿，柔軟又具彈性，原因之一是真皮層內的膠原蛋白充足，而彈性纖維也維持在最佳狀態。但是，大約一過二十五歲，纖維母細胞的產能就慢慢下降，膠原蛋白流失的速度可能比生成速度還快，供給不及耗損，漸漸地，皮膚就開始出現衰老的跡象：乾澀粗糙、失去彈性、紋路變得明顯……。再加上紫外線照射（日光老化），以及體內的氧化作用可能讓膠原蛋白、彈性纖維受到自由基攻擊、破壞而造成結構變性，失去原有的彈力，這些都是皺紋和臉部鬆垮提早出現的原因。然而，現有補充

膠原蛋白的方法，不論外擦或內服，效果都不明確，因此，由「預防」做起，也就是減緩膠原蛋白流失、變性，反倒是較積極的做法。

36. 膠原蛋白會流失，如何預防皮膚老化？

(1) 第一要務就是防晒，因為百分之九十以上的皮膚提早老化都是不當的陽光（紫外線）曝晒造成。所以，不論想白皙、水嫩、還是沒皺紋，陽光絕對是頭號敵人。

(2) 飲食均衡，尤其要多攝取含抗氧化物的蔬果，另外富含維他命C、E、β胡蘿蔔素、番茄紅素、多酚類（如葡萄、紅酒、茶類）等的食物也都有抗氧化效果，可以保護膠原蛋白不受自由基攻擊而損傷。

(3) 避免高脂肪食物，因為高熱量、高脂肪，尤其是油炸食物都容易產生自由基，加速老化。如果能減少攝食這一類食物，就等於減少了身體被自由基傷害及皮膚出現黑斑、皺紋的機會。

37. 長期使用水楊酸的副作用？

衛生署公告，含水楊酸的化妝品必須加註警語，提醒民眾不能長期使用，而三歲以下小孩也不得使用，因為長期大範圍使用水楊酸可能會導致耳鳴、暈眩、嘔

吐等水楊酸中毒的現象。

38. 玻尿酸作用為何？

玻尿酸有很強的保濕功能，可以增加皮膚的彈性、潤滑性及維持肌膚柔軟性。玻尿酸製劑早期用於白內障手術，及退化性關節炎之治療，在美容醫學上可用來填補凹洞（真皮痘疤）、除皺紋、法令紋、豐唇及墊高鼻子。

39. 玻尿酸要怎麼使用？

玻尿酸原本就存在皮膚組織，以膠狀形態存在真皮的膠原纖維中，以幫助儲存水分，增加皮膚容積，使肌膚飽滿看起來年輕。然而玻尿酸會隨著年齡增長而流失，造成肌膚水分散失，失去彈性與光澤，長久下來肌膚便出現皺紋的老化現象。目前市面上有口服、外用，以及皮下注射型，其中較具有顯著療效的是注射型的，口服及外用的效果仍有待證實。

40. 肉毒桿菌能常使用嗎？有副作用嗎？

常見的副作用包括臉部因為注射不平均而造成兩邊表情不對稱，或者是施打眼睛附近時造成眼皮下垂或是

複視。肉毒桿菌素具有時效性，每次注射多半只能維持數月到半年的時間，屆時如果還想維持效果就得再施打一次。

🦁 41. 雷射可以除皺？

可以。

★補充：

應依據皺紋的種類來選擇不同的除皺方式，並不是所有的皺紋都需要使用雷射來除皺。

(1) 細紋：應該積極地防晒來避免進一步出現外因型老化，也可以用一些塗抹的藥品或保養品來改善，如：外用A酸、果酸或是維他命C等等。另外，也可以進一步嘗試果酸換膚或維他命C導入。

(2) 輕中度靜態的皺紋：此類正是雷射治療的最佳選擇。

(3) 動態的皺紋：有肌肉拉扯時才出現的皺紋，如：抬頭紋。這一類通常用肉毒桿菌素注射的效果較佳。

(4) 重度且鬆垮的皺紋：這樣的程度通常只能靠拉皮來挽救。

42. 抗老化，預防勝於治療？

因UVA會破壞皮膚真皮層的膠原組織，使膠原蛋白變性、斷裂、失去彈性產生皺紋；而UVB會導致斑點的生成。為了預防紫外光對皮膚的傷害而造成老化，應在紫外光還沒對皮膚造成傷害時就開始預防。因此「防晒」絕對是抗老化的金科玉律，年輕的時候就要做好防晒，以避免老化提早報到。

43. 柔沛治療禿頭有效嗎？

雄性禿和男性荷爾蒙中的dihydrotestosterone有關，而dihydrotestosterone是由testosterone所轉變成的。柔沛主要是可抑制testosterone變成dihydrotestosterone的酵素（5α-reductase）而達到治療雄性禿的效果，但並非每個人都有效。

44. 聽說生髮藥柔沛價格很貴，可不可以將攝護腺用藥波斯卡切割成小片來服用，以節省藥費？

不建議將波斯卡Proscar®（finasteride 5 mg/tab）切割成小片來取代柔沛Propecia®（finasteride 1 mg/tab），

因為劑量可能不準確。此外，finasteride是膜衣錠，如果被壓碎或破壞，可能會透過皮膚吸收，造成男性胎兒的外生殖器異常，所以懷孕或可能懷孕婦女不可碰觸。

45. 脫毛膏對皮膚有影響嗎？

脫毛膏因為含有化學成分又具有相當刺激性，對於過敏性肌膚容易造成傷害，建議在使用前先行局部肌膚測試。反覆使用脫毛膏會使毛囊受傷而造成毛囊炎、疹子或是色素沉澱。脫毛膏的脫毛原理主要是利用硫化鈣之類的化學藥劑，還原毛髮中的雙硫鍵而溶解毛髮。因為藥劑難以深入皮膚下的毛囊，大約三天左右就會再長出來。

46. 燙髮劑會傷肝、傷腎嗎？

燙髮劑屬含藥化妝品，必須向衛生署申請查驗登記，取得許可證後，才可以製造、販售或輸入。目前衛生署對於燙髮劑中常用之主成分「硫醇基乙酸或其鹽類及酯類（thioglycolic acid, its salt and esters）」之濃度上限定為百分之十一。燙髮劑對人體的影響多半為皮膚方面的反應，對肝臟或腎臟的影響並沒有明確的報告。

14
保健食品

1. 保健食品和健康食品有何分別？

所謂食品係指「供人飲食或咀嚼之物品及其原料」。市面上通稱之「保健食品」是一種較為商業化的稱呼，通常是指對維持身體健康有幫助的食品，這類食品通常強調某些特殊成分，有別於一般食品。「健康食品」則為國內依「健康食品管理法」定義之法律名詞，法規上的定義是「提供特殊營養素或具有特定之保健功效，而非以治療、矯正人類疾病為目的之食品」。「健康食品」的功效經由衛生署審查核准，可信度高；「保健食品」不得宣稱保健功效且不可使用「健康食品」字樣。

2. 依國內法規，健康食品應符合那些條件？

依「健康食品管理法」規定，申請查驗登記之健康食品，應符合下列條件之一：

(1) 經科學化之安全及保健功效評估試驗，證明無害人體健康，且成分具有明確保健功效。

(2) 成分符合中央主管機關所定之健康食品規格標準。健康食品之製造，應符合良好作業規範。健康食品應以中文及通用符號顯著標示於容器、包裝或説明書上。健康食品之標示或廣告不得有虛偽不實、誇

張之內容，其宣稱之保健效能不得超過許可範圍，且不得涉及醫療效能。

🦉3. 政府許可的健康食品所宣稱的功效，有經過評估嗎？

政府自民國八十八年起，依所制定的健康食品管理法，目前已建立了十餘種檢查驗證的方法，證明廠商宣稱的功效是否為真實。例如：調節血脂、免疫調節、胃腸功能改善、牙齒保健、護肝、抗疲勞等。產品必須經過評估確定有保健相關成分及功效，才能獲得許可證與健康食品標章。目前市售健康食品以調節血脂、胃腸功能改善及護肝類較多。

🦉4. 如何辨識某項產品是否為健康食品？

經科學化的保健功效評估試驗，或依學理證明其無害且具有明確及穩定的保健功效，並且經衛生署審查通過並發給許可證後，才能稱之為「健康食品」。在產品包裝上會清楚標示：

(1) 健康食品標章。

(2) 健康食品字樣及許可證號碼
（如：衛署健食字第○○○○○
號）等之標示。

圖片來源：行政院衛生署

🦛 5. 保健食品是不是可以代替藥品治療？

保健食品提供特殊營養素或特定保健功效，多用於營養補給以及疾病的預防。生病需要用藥時，單用保健食品會延誤病情，而且有些保健食品會與藥品產生交互作用，讓疾病治療潛藏危機。因此，切勿以為保健食品可以代替藥品治療。

🦛 6. 保健食品中的主成分含量是否愈高愈好？

保健食品主要用於營養補給、疾病預防，每個人有不同的需求量，並不是用量愈高愈好。有些產品食用過量時，會導致不良反應。例如：長期攝取過量的維生素A、D可能蓄積體內而產生毒性，魚油或銀杏如過量易導致出血。因此選購保健食品時，應先諮詢醫藥專業人員，選擇含量適當之產品，並依照建議正確使用。

🦛 7. 老年人長期使用保健食品有益處嗎？

高齡有慢性病的老人，可透過保健食品增強身體部分功能。建議務必經過醫師、藥師或營養師的專業，對於疾病病情、所有用藥、營養狀態等之整體性評估後再使用，較有保障。

8. 保健食品中常有「納豆＋紅麴」的搭配，為什麼呢？

紅麴的效用可降低膽固醇，納豆能溶解血栓。兩者合用可以降低心血管疾病的危險因子。但要注意的是，是否已經在服用降低膽固醇或是影響血液凝集的藥品，建議詢問藥師或醫師是否適合服用「納豆＋紅麴」。

9. 中藥也有製成健康食品的產品嗎？

市售已有幾種中藥抽取物製成的健康食品。例如靈芝、人參及冬蟲夏草，均有用藥材的抽取物製成的不同產品。

10. 維他命於人體新陳代謝中所扮演的角色為何？

維他命又稱維生素，人體無法自行合成，需要從食物、藥品或保健品中攝取。人體攝取食物後需要靠維他命的協助將營養素轉化成人體可吸收、利用的物質，以維持新陳代謝運轉正常。不同的維他命有不同的功能，詳細資料請參照：衛生署食品資訊網>>營

養與健康>>食物與營養>>營養素的功用及食物來源
（http://food.doh.gov.tw/foodnew/）

11. 維他命 B 群服用後尿液呈金黃色，是否服用過多有殘留在體內的問題？

維他命 B_2 是少數有
色的維生素之一，呈
金黃色，又稱核黃素
（Riboflavin），經由尿
液排除後會使尿液呈金
黃色。身體會調整維他
命在體內的儲存量，過
度攝入的水溶性維他命
會經由尿液排出體外，
不會殘留在體內。

12. 維他命 B 群吃多了是否會有副作用？

維他命 B 群屬水溶性維他命，過量服用時腎臟會將大
部分的種類排出體外。除菸鹼酸用於特殊醫療用途、
劑量太高時會使皮膚異常潮紅外，其餘維他命B群沒

有明顯的副作用。

13. 維他命 C 有何副作用？可預防壞血病嗎？

過量的維他命C可經由腎臟排出，但劑量過大時可能導致腎結石。壞血病是因缺乏維他命C引起的，所以適量的維他命C可避免壞血病的發生。

14. 偏食者是否應多攝取維生素，才不會導致營養不良？

維持生命所需養分分為六大類：醣類、脂質、蛋白質、礦物質、維生素、水。若飲食不均衡而只是補充維生素，一樣會造成其他營養素的缺乏。

15. 骨質疏鬆如何改善？有何藥物可使用？健保有給付嗎？

(1) 骨質疏鬆的治療方法因人而異，應由醫師診療及決定來用藥。一般常見有抑制蝕骨細胞的雙磷酸鹽類藥物、抑鈣素和選擇性女性荷爾蒙受體調節劑。另外適度地運動、適量地補充鈣片、維他命D也很重要。

(2) 目前健保不給付低劑量鈣片，雙磷酸鹽、抑鈣素和

選擇性女性荷爾蒙受體調節劑則有使用限制。

🦁16. 鈣片對於骨質疏鬆有沒有幫助？最好的補充鈣質（元素鈣）的方式？怎樣算過量呢？自行補充鈣片有沒有關係？

鈣是人體需要的物質，鈣也會使骨骼強壯，減少骨質疏鬆的危險。

含高鈣的食物如下：

主食類：麥片、養生燕麥粥。

乳類及其製品：牛奶、羊奶、乳酪、優酪乳。

魚類及豆製品：小魚乾、蝦米、豆腐、豆乾。

蔬菜類：海帶、髮菜、深色蔬菜（如芥蘭菜、莧菜）、木耳。

堅果及種子類：黑芝麻。

其它：黑糖、酵母粉、山粉圓。

以上食物皆可提供鈣質來

源，但國人由食物中攝取之鈣質普遍不足，只占每日所需鈣質量的百分之五十到九十，故建議額外再補充鈣片。

★補充：

十九到五十歲或停經前、及停經後有服用雌激素之婦女，每日元素鈣建議攝取量為一千毫克，一般停經後婦女則提高為每日一千五百毫克（有些說法為一千兩百毫克）。每日建議攝取量不超過二千五百毫克。

17. 如何選擇鈣片？

鈣離子屬於陽離子，大多以鹽類的形式存在，市面上可以見到的鈣鹽種類至少包括碳酸鈣、檸檬酸鈣、乳酸鈣和葡萄糖酸鈣等，這些鈣鹽彼此最大的不同點為鈣含量（即同單位的重量可以提供多少鈣元素），以及吸收利用情形。鈣含量由高至低分別為碳酸鈣、磷酸鈣、檸檬酸鈣、乳酸鈣和葡萄糖酸鈣，其中碳酸鈣及磷酸鈣不溶於水，必須在酸性環境下吸收率才會較高，因此服用制酸劑的病人、胃酸分泌不足的老年人，或是容易腎結石的病人，最好選擇水溶性較高的檸檬酸鈣、乳酸鈣或葡萄糖酸鈣。

18. 天然鈣片和合成鈣片有什麼不同？吸收效果有差嗎？

鈣片依來源的不同可分為二種：一為天然鈣，包含磷酸鈣及乳酸鈣，一般由魚骨、貝殼、牡蠣等製造的骨粉富含磷酸鈣；二為合成鈣，有碳酸鈣、葡萄糖酸鈣、檸檬酸鈣。鈣片的吸收率以檸檬酸鈣（Ca citrate）最佳，其次為醋酸鈣（Ca acetate）、碳酸鈣（Ca carbonate），較不建議使用磷酸鈣。天然鈣有汙染的問題，且以吸收率來看的話，天然鈣其實並不優於合成鈣。

19. 鈣片要嚼碎嗎？應「飯前」或「飯後」服用？

鈣片嚼碎後作用較佳。服用方法為隨餐或餐後服用，以一杯水伴服。

20. 服用鈣片有哪些注意事項？

(1) 食物會刺激胃酸分泌，幫助鈣質的吸收，一般是建議與食物一起服用。水溶性高的製劑，例如（檸檬

酸鈣），不一定需要與食物一起服用。

(2) 食物中如果含有草酸（如菠菜）會妨礙鈣質的吸收，應設法間隔兩小時服用。

(3) 鈣片有時可能會與其它藥品產生交互作用。例如：當四環素與鈣片一起服用時，會互相結合而減少吸收，兩種藥品服藥時間應該錯開至少兩小時，並且先服用四環素。

(4) 常用來降低血壓或治療心絞痛的鈣離子拮抗劑，如果與鈣片併用，藥效可能降低。

(5) 另外，不建議與魚油併服，可能產生皂化反應。

21. 補充鈣質時，鈣片的吸收會不會受到食物的影響？

根據研究，碳酸鈣與食物併服時，吸收可以增加百分之二十，不過檸檬酸鈣受到的影響似乎不明顯。活性維他命D可以幫助鈣離子的吸收，食物中的氨基酸與醣類可以幫助鈣鹽吸收。

有些成分容易與鈣形成不解離的化合物，可能妨礙吸收，例如草酸（富含於菠菜、大黃、花生）會與鈣形成草酸鈣；植物酸（富含於麥麩、全穀類）、磷（富含於乳酪製品）等也有類似效用，所以不建議同時吃。

🐾**22.** 一般屈臣氏賣的鈣片或維他命D對補充鈣有效嗎？

一般市面上販售的鈣片應都有效。至於維他命D會增加鈣的吸收，但本身未提供鈣的補充。

★補充：

當選購鈣片時，除了看主要成分和總含量之外，也要注意看是否有標明元素鈣（the elemental calcium content）的含量，例如一片五百毫克的碳酸鈣，可提供二百毫克的元素鈣；但一片五百毫克的檸檬酸鈣，只提供一百零五毫克的元素鈣。

🐾**23.** 如果沒有骨折可吃Fosamax®嗎？Fosamax®的服藥注意事項？

Fosamax®（成分 alendronate）是用於停經後婦女骨質疏鬆的預防及治療藥品，因此不一定要等到發生骨折時才可使用，但健保給付有限制。使用方式為每日服

用五至十毫克或每週服用一次三十五到七十毫克。建議在一早空腹時伴大量水（至少600cc）服用，服用後至少需保持坐姿或站立姿勢三十分鐘以上，避免食物停留在食道引起食道炎。服藥後三十分鐘或更久之後才可進食或服用其他藥物。

24. 咖啡喝太多是否會造成鈣質流失，引起骨質疏鬆的危險？

較高量（>300 mg/日）的咖啡因攝取和年長女性的骨質流失速率增加有關。另有資料顯示，只要維持足夠的鈣質攝取，每日咖啡因的攝取不過量，對鈣質平衡或骨質狀況並不會造成影響。

建議生育年齡的女性每日咖啡因攝取量≦300 mg，相當於4.6mg/公斤/日，而兒童則應≦2.5mg/公斤/日。

25. 服用維生素 C 和鈣片是否會引起結石？

大量的服用維生素C或鈣才會有造成結石的可能性。另外攝取足夠的水分也可避免結石的產生。

26. Glucosamine 與 Ca 有何差別？

Glucosamine sulfate（硫酸葡萄糖胺）即維骨力成分，

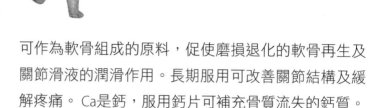

可作為軟骨組成的原料，促使磨損退化的軟骨再生及關節滑液的潤滑作用。長期服用可改善關節結構及緩解疼痛。Ca是鈣，服用鈣片可補充骨質流失的鈣質。

27. 維骨力是藥品嗎？

「維骨力」（Viartril-S®）是義大利Rotta藥廠的專利名稱，主要成分是葡萄糖胺硫酸鹽（glucosamine sulfate），適用於退化性膝關節炎。由於名氣太大，所以一般民眾把所有葡萄糖胺（glucosamine）為主要成分的產品，都叫做「維骨力」。葡萄糖胺因為製造方法不同，而有葡萄糖胺硫酸鹽、葡萄糖胺鹽酸鹽（glucosamine HCl）、及單純葡萄糖胺（glucosamine free base）的區別。狹義的維骨力單指以葡萄糖胺硫酸鹽為主成分的產品，於九十四年一月一日公告修訂為醫師藥師藥劑生指示藥。至於其他二種型態的葡萄糖胺，因缺乏足夠證據支持其有效性，目前以食品管理，在一般藥局就可買到。

28. Glucosamine 的建議劑量及作用為何？

葡萄糖胺硫酸鹽（glucosamine sulfate）的建議劑量為每日服用三次，每次五百毫克。葡萄糖胺是軟骨的成分之一，可緩解輕度至中度骨關節炎的疼痛，但不能

治療骨質疏鬆症。

29. 慢性病長期服藥者，可以吃維骨力（葡萄糖胺）嗎？

葡萄糖胺（glucosamine）可能會降低胰島素或口服降血糖劑的療效，糖尿病病人應特別注意血糖監測。此外，葡萄糖胺與抗凝血劑、影響血小板凝集的藥品或非類固醇消炎劑併用時，可能會增加出血的風險；服用上述藥品者應注意是否有出血現象（如瘀青、血便、血尿、傷口流血不止）。長期服藥者想要服用葡萄糖胺前最好先請教藥師。

30. 吃了維骨力還要吃膠原蛋白或鈣嗎？

三者成分不相同，作用亦不同。是否需服用，視情況而定，請向醫師諮詢。惟口服膠原蛋白臨床效果仍然存疑。

31. 卵磷脂的來源為何？除了平常飲食外，還需額外補充嗎？

卵磷脂（lecithin）為膽素（choline）在食物中的主要存在形式，廣泛存在於各類食物中，蛋黃、內臟

（肝、腎、腦）、黃豆及花生含量特別豐富。除完全不吃奶類及蛋類的全素者較可能攝取不足外，國人膽素攝取不足的可能性不高，故不需要額外補充。

32. 魚油和魚肝油的效用相同嗎？

魚油有助於降低血中三酸甘油脂之功效。魚肝油則對骨骼成長與眼睛發育保健有較佳的輔助作用。

33. 魚油對心血管疾病有預防功效嗎？

深海魚油富含ω-3不飽和脂肪酸，主要為二十二碳六烯酸（docosahexaenoic acid；DHA）與二十碳五烯酸（eicosapentaenoic acid；EPA）。研究顯示深海魚油可以降低血液中的三酸甘油脂而達到預防心血管疾病的效果。

34. 魚油和魚肝油所含的成分相同嗎？

魚油的主要成分為ω-3脂肪酸（DHA與EPA），而魚肝油的主要成分為維生素A與維生素D，兩者不同。

35. 大豆卵磷脂和深海魚油可降血脂嗎？

大豆卵磷脂和深海魚油是「減少發生心血管疾病危險

因子之保健食品」，具有調節血脂肪的功效，但不是降血脂的藥品，治療高血脂應尋求正確之醫療管道。

36. 為什麼腎臟病的人不建議吃薏仁和糙米？

過多的磷在血液中可導致骨骼病變，對於早期腎功能不全者，早期限制飲食中磷含量，可以減緩腎功能的衰竭，除了配合磷結合劑降低磷外，飲食亦要避免攝取高磷食物。薏仁和糙米屬於高磷食物，故不建議食用。

37. 吃蜂王乳可改善更年期症狀嗎？

目前並無科學或臨床證據證實蜂王乳可改善更年期症狀。

38. 一天需補充多少電解質？

食物中已含有電解質，正常飲食的健康人並不需要額外補充電解質。

39. 雌激素可在一般食物中攝取嗎？

近年來發現有一些植物含有具有

類似雌激素作用的成分，如大豆、穀麥類、苜蓿芽等都有，但每種植物的植物性雌激素含量不同、成分也可能不只一種，效果也未有定論。

40. 植物性荷爾蒙是否為合法藥物？有使用劑量的限制嗎？

市面上的植物性荷爾蒙製品都屬於保健食品，目前並沒有訂定最適當的使用劑量，請勿超過說明書上的建議劑量。

15

中草藥

1. 什麼是望、聞、問、切？

「望聞問切」是中醫師用來了解病人的病情與診斷疾病的步驟。

「望」主要是醫師以其視覺來觀察病人全身或是局部的面色（面部的顏色與光澤等）、神情（精神狀態、目光、反應能力、語言清晰度等）、形態（形體與活動情況）等，並觀察病人的舌質與舌苔的情況來作為診斷的基礎判斷。

「聞」主要是利用聽覺與嗅覺來了解或辨識病情，如聽病人說話的聲音、呼吸時發出的聲音、咳嗽的聲音或是嗅一下口腔、尿液及糞便的味道。

「問」則是詢問病人或家屬來了解目前症狀、疾病發生的時間、疾病發展過程等，除此之外，個人、家族病史或生活史也是必須詢問的重點。

「切」包括了切脈與觸診，切脈就是搭按病人的左右手腕，了解病人的脈象，觸診則是觸按病人的身體部位來了解疾病的情況。

這四診各有其獨特的功能，為了能對疾病做出準確的判斷，這四診缺一不可。

2. 中藥包括哪些？

中藥包括中藥材、傳統中藥製劑及科學中藥。中藥材是單味的藥材，例如人參、當歸等。將中藥材組成的藥方製成丸、散、膏、丹、湯、浸膏劑及顆粒劑等，為傳統中藥製劑。科學中藥是以科學方法與技術將藥材調配、煎煮、濃縮後，製成散劑、顆粒、膠囊、錠劑等濃縮中藥。

3. 中藥方劑中的藥材，是如何組成的？

中藥方劑是從使用單味藥治療疾病，更進一步發展而成。藥材經配合組成，才能發揮綜合作用，可以調和藥物之性味，更能使其充分發揮所有的效能。方劑的組成原則為君臣佐使，以麻黃湯為例：

(1) 君藥：麻黃有發汗解表的功效，是主藥，即對主證有正面作用。

(2) 臣藥：桂枝有發汗解肌的功效，有輔助主藥的效力。

(3) 佐藥：杏仁有平喘止咳、治療兼證的功效，對主藥有制約性的作用，有助於解除副作用。

(4) 使藥：甘草有調和諸藥的功效，為引經藥。

4. 傳統中藥劑型有哪些？各有什麼特色？

中藥方劑常用的劑型有湯、丸、散、膏、丹、片、酒劑等，以丸劑與散劑最為普遍。依病情需要採用不同劑型，同樣的方劑，製成不同劑型服用後產生的藥效、持續時間及作用特點也不盡相同。

各種劑型的特色為：

(1) 湯劑：藥材加水煎煮去渣之液體，服用後易吸收，作用較快，應用最廣。

(2) 丸劑：藥材細粉加入黏合劑製成圓球狀。依黏合劑的不同，分為水丸、蜜丸、糊丸、蠟丸等。丸劑吸收較慢，藥效較慢，大多用於慢性病或補養。

(3) 散劑：藥材經粉碎混合均勻成粉末狀，散劑表面積大，較丸劑、片劑藥效迅速。科學中藥一般製成散劑。

(4) 浸膏劑：藥材用水熬煮或其他溶媒抽取，濃縮成稠厚的半固體或固體。內服為煎膏又稱膏滋，常用於慢性病，例如川貝枇杷膏。外用為軟膏劑，如紫雲膏。

(5) 酒劑：藥材用酒浸泡將有效成分浸出，去渣所得液體，就是一般所稱之藥酒。

5. 中藥材在配方（抓藥）前，多數經過炮製的加工，這些處理有什麼目的？

常見之炮製目的分別為：

(1) 去雜質：例如枇杷葉去毛、蟬蛻去頭足。

(2) 便於儲存：如栝蔞噴酒以防蟲、霉害。

(3) 緩和或轉化藥性：如生地黃性寒涼血，熟地黃性微溫補血。

(4) 降低毒性或副作用：烏頭、附子、草烏、甘遂等經炮製後可降低其毒性。半夏生用會刺激咽喉，生薑炮製後可減其刺激性。

6. 購買中藥材在使用前應如何保存？

中藥保存得好不好，直接影響到藥品的品質和療效，因此必須重視。保存中藥材應注意防止蟲蛀、防止黴菌汙染、防止精油類成分揮發。通常將中藥材放置於乾燥密封罐，貯存於陰涼、乾燥處，另應注意包裝標示之有效期限。過期或變質時就不要使用。

7. 中藥煎煮之前要洗嗎？

中藥材在使用前，最好先清洗後再煎煮，可去除雜質。

8. 中藥煎煮前的通則為何？

煎煮中藥材前，最好先用高於藥材面分量的冷水浸泡一小時，讓水分滲透入使藥材變軟，並幫助有效成分溶出。

9. 中藥的煎煮有通則嗎？

一帖中藥約可煎煮兩次，頭煎的用水量需高於藥材面，先以大火煮沸再以小火慢煎三十到六十分鐘；第二煎用的水量減少。去渣後兩次煎液混合。

10. 家裡的鍋子可以用來煎煮中藥嗎？

最好是選用陶瓷器皿如砂鍋或是瓦罐，因為導熱較緩慢均勻且耐高溫，煮藥的過程中，可以使鍋內藥物充分受熱，溶解出有效成分；而且陶瓷器皿不含有可溶解的金屬離子，在長時間高溫煎煮的過程中，由於化學性質穩定性，不易與藥材起作用，可維持有效成分質量的穩定。另外也可以使用不銹鋼鍋，這類的金屬鍋子雖然在導熱均勻與保溫的功能上略差，但其金屬離子在高溫下穩定，不易與藥物有效成分起化學作用。其他金屬鍋子如鐵鍋、鋁鍋、銅鍋等則不可用來煎煮中藥，因為這些金屬離子，長時間處在高溫下比

較不穩定，容易與中藥材中的鞣酸及其他成分起化學反應，形成沉澱，影響療效。

11. 什麼是科學中藥？

科學中藥就是藥廠以科學的方法與技術將藥材調配後煎煮、濃縮，再加輔劑製作成散劑、顆粒、膠囊、錠劑等濃縮中藥。經衛生署核准的科學中藥，其有效成分之來源是中藥材，且不得添加任何西藥。中藥湯劑的藥材需經煎煮十分不方便，煎煮方法與濃縮的程度會因人而異，難以掌握有效成分的質與量。科學中藥講求的是安全、質量均一的製劑，服用與攜帶上都較傳統的湯劑便利許多。

12. GMP藥廠出產的中藥為何比較有保障？

GMP就是「藥品優良製造規範」認證。藥廠需要經過政府下列各項查驗，包括廠房的構造、設備材質及清潔、製造的方法與過程、品質的檢驗、原料及製品的保管、組織及各有關作業人員應該遵守的要點，並符合

標準之後，始取得GMP認證。因此，GMP藥廠的中藥產品比較有保障。

13. 如何辨認合法的中藥製劑？

合法的中藥製劑應經過衛生署核准，衛生署核准之許可證字號標示，例如：衛署成製字第○○○○○○號、衛署藥製字第○○○○○○號、衛署中藥輸字第○○○○○○號。每一項產品都有完整包裝及標示，包括品名、成分、用法、用量、廠商名稱及地址、使用時注意事項、效能或適應症、批號、有效期限或製造日期、有效期間。中藥產品許可證相關內容，可至衛生署中醫藥委員會所屬網站：www.ccmp.gov.tw查詢。

14. 民眾在那裡購買中藥比較安全可靠？

傳統市場與流動地攤，或觀光地區之土產藥材，因來源不明，買到偽劣藥的機率較高，例如宣稱「何首烏」的土產藥材，許多是臺灣野生有毒的黃藥子，並非何首烏的真品。建議到合格中藥行購買，亦可有基本的諮詢服務。購買中藥製劑時需注意包裝說明，合格的中藥製劑應列有品名、重量、廠商、製造日期、保存期限及保存方法等。

15. 如果對中藥產品有疑慮時,應如何判別真假?

切勿使用來源不明的中藥產品,生病應找合格中醫師,並使用標示清楚、合法製造之中藥(標示有藥品許可字號者)。如有疑慮可至衛生署中醫藥委員會所屬網站:www.ccmp.gov.tw查詢,或透過各縣市衛生局消費者服務中心送驗,或自費洽請民間檢驗機構代驗。

16. 中西藥一定要分開吃嗎?

一般而言,為了避免中藥與西藥在腸胃內產生交互作用,所以服用其中一種後間隔兩小時後再服用另一種是比較安全的做法。有一些中藥是不能與西藥一起服用的,除了腸胃內的

交互作用外，也有中藥會導致西藥在血中的濃度降低或升高，造成療效不佳或是增強西藥的毒性與副作用。例如：銀杏抽取物與抗凝血藥品一起使用時會增加病人出血的危險。不論在讓中醫或西醫看診時，都要充分告知中醫師或是西醫師您的病史及正在服用的中藥、西藥等，由醫師判斷中西藥是否可以併服。

17. 那些中藥通常應該在飯後服用？

部分中藥適合在飯後服用，例如常用於上焦疾病、祛風止痛、治療偏正頭痛的「川芎茶調散」，服用方法為：食後清茶調服，即飯後配清茶水服用；其他如祛風濕、止痹痛的「獨活寄生湯」，也多在飯後服用。

18. 那些中藥通常應該空腹服用？

常見空腹服用之中藥，如補益藥四物湯等，空腹較易吸收；其他如緩瀉劑之大承氣湯、小承氣湯或驅蟲劑等，均適合空腹服用。

19. 孕婦可以使用中藥嗎？

在懷孕期間使用中藥需特別慎重小心，凡屬於收縮子宮類、活血破氣類、利下降瀉類、大寒大熱類、芳草滲透類及有毒類藥材，皆不適合孕婦使用。常見的

藥材如附子、瞿麥、蜈蚣、通草、芒硝、牡丹皮、三稜、牛膝、乾薑、皂角刺、槐花等均是孕婦禁用的單味藥，有些中藥固有成方也可能含有孕婦禁用的藥材。因此建議在懷孕期間，如果需要服用中藥，應該由中醫師處方使用才安全。

20. 孕婦在產後服用生化湯，請問有什麼功效？怎樣使用才是正確的？

生化湯含有當歸、川芎、桃仁、炮薑、甘草等藥材，能使瘀血去而新血生，可用於產後血虛血瘀諸證。一般多在產後三天內服用，但不宜長期使用。

21. 保健藥膳常用那些中藥材？可以長期食用嗎？

藥膳是取藥物之性，用食物之味，二者可相輔相成。藥膳在辨證論治的原則下，選用對證的食物和藥材才能發揮作用。保健養身藥膳眾多，可做為滋補食療藥膳，常用之藥材有人參、冬蟲夏草、山藥、當歸、大棗、枸杞、甲魚等。藥膳雖屬膳食，但仍有藥性，應視個人體質評估是否可長期食用。

22. 藥膳可以取代藥物療法嗎？藥膳有應用原則嗎？

藥膳多用以養身防病，雖有功用但不能取代藥物療法。藥膳的食用應依針對性採用不同的配方。選擇藥膳的基本原則是運用中醫辨證的方法，採用寒者熱之、熱者寒之、虛者補之、實者瀉之的原則。

23. 民間熟知的四物湯及四神湯，是那些中藥材組成的配方？有那些功效？

四物湯含有當歸、川芎、芍藥、熟地等藥材，有補血、活血作用，適用於血虛症。

四神湯含有蓮子、淮山、芡實、茯苓等藥材，有補益脾陰，幫助腸胃消化的功能。

24. 一般人的觀念西藥治病、中藥強身是對的嗎？

中藥和西藥都是藥品，中藥與西藥間可能有交互作用，因此仍要由醫師診斷後才可使用，切勿自行購買中藥來強身。

25. 經西醫檢查後說沒病，但仍覺不舒服，是否應吃中藥補身？

不論中藥或西藥，都必須要對症下藥。沒病吃藥補身，是一個不當的用藥迷思，並沒有證據支持這樣的看法。

26. 「征露丸」或「正露丸」的成分及作用是什麼？

市售產品之主成分為木餾油（creosole），另含有黃柏、阿仙藥、甘草及陳皮等藥材，具有特異氣味、稍濕軟的丸劑。可緩解輕微或中度急性腹瀉，不建議長期服用，使用前應諮詢醫藥專業人員。此外有些產品含有東莨菪（scopolia）浸膏，因此有抗乙醯膽鹼的作用，可能會有口乾、視力模糊、便祕、尿液滯留等

副作用，如果有青光眼、攝護腺肥大、特殊的腸胃疾病等應特別注意。

27. 保濟丸有什麼作用？可長期服用嗎？

根據仿單內容記載保濟丸主治吐瀉、食滯、腸胃不適、消化不良、舟車暈浪、不服水土、外感風寒。不建議長期使用。

28. 電視電台廣告裡常說，中藥藥性溫和，不傷身體，可以自行購買中藥來服用嗎？

中藥與西藥相同，都是藥品，有其治療的功效，但只要是藥品，就有產生副作用或與其他食物及藥品發生交互作用的可能性，民眾不應該自行亂服中藥或是青草藥。中藥方劑內都含有多種成分物質，在使用上需要由具合格專業證照的中醫師針對病情來做精確的診斷後，才能開立適合病人使用的中藥處方。

29. 青草藥是中藥嗎？

青草藥屬於民間藥，為民俗療法所使用。在國內目前沒有列入藥物管理，但依規定不得宣稱或標示涉及醫療效能，販售青草藥者向當地縣市政府申請營利事業

登記證即可。

30. 民間習慣用之草藥和中藥有何不同？

民間口碑相傳之草藥，缺乏文獻記載，其成分、毒性不清楚。且同一植物在不同區域可能會有不同的宣稱療效。中醫使用的藥物，出典於本草文獻者稱為中藥。

31. 市場販售的「蟲草」就是「冬蟲夏草」嗎？

「冬蟲夏草」是麥角科冬蟲夏草菌的子座和其寄主蝙蝠蛾的幼蟲所形成的乾燥蟲菌複合體。蟲體似蠶，是珍貴的中藥材。「蟲草」是草石蠶，為脣形科植物地蠶的乾燥根莖，長條狀有環節，形似蠶蟲樣。因「冬蟲夏草」價格昂貴，市面上有以「蟲草」企圖混淆的情形，應分辨清楚，以免誤用。

32. 中藥處方是否可使用硃砂？

為確保民眾用藥安全，衛生署中醫藥委員會公告，自民國九十四年五月一日起，全面禁止中藥房（局）、中醫診所，將硃砂調製、調配在內服及外用中藥方上，但中藥GMP藥廠仍可依核准之處方製造，但需經衛生署核發許可證方可上市販賣。

33. 新聞報導的中草藥腎病是什麼中藥引起的？政府有管理嗎？

含有馬兜鈴酸成分的中藥，長期服用會導致腎臟病變。衛生署已於民國九十二年公告禁用廣防己、青木香、關木通、馬兜鈴及天仙藤等五種含馬兜鈴酸之中藥材。

34. 網路上推銷含有中草藥的化妝品，且宣稱具有療效，可靠嗎？

如宣稱具有療效之化妝品，則為明顯違法的廣告。含有中草藥且具療效的產品，必須先申請藥品許可證後才可以販售。使用未經驗證的網路產品，恐會導致延誤就醫。

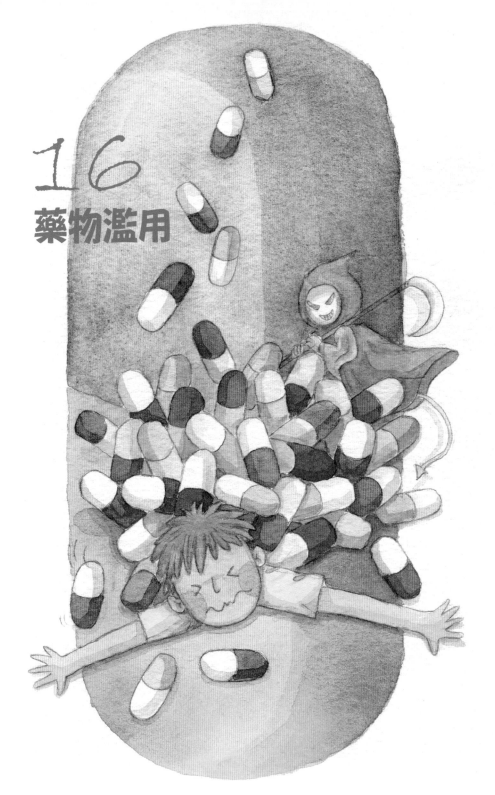

16
藥物濫用

1. 「管制藥品」和「毒品」有何不同？

依據國內法規，凡屬於成癮性麻醉藥品、影響精神之藥品、其他認為有加強管理必要之藥品，於醫藥及科學上合法使用者為管制藥品，非法濫用即為毒品。

2. 「毒品」與「管制藥品」分為幾個等級？

毒品、管制藥品皆分為四級，其級別、品項大致相同，但第四級管制藥品中的mifepristone、clobenzorex未列入毒品品項，第二級管制藥品PMMA（paramethoxymethamphetamine）則列入第三級毒品品項。

3. 請問 Serenal® 是屬於管制藥品嗎？是屬於第幾級？會不會有成癮性？

Serenal®之成分為oxazolam，屬於第四級管制藥品。長期使用會產生耐受性、依賴性及出現嗜睡、步履不穩、注意力不集中、記憶力和判斷力減退等症狀；突然停藥可能產生戒斷症狀包括初期的表徵類似焦慮症狀，接著可能會出現焦慮增加、感覺障礙（如感覺異常、畏光、嗜睡、有金屬味覺）、類似流行性感冒症狀、注意力無法集中、疲倦、不安、厭食、頭暈、出汗、嘔吐、失眠、暴躁、噁心、頭痛、肌肉緊張/抽

搐、顫抖等症狀。

4. 夜晚睡眠會多夢，也可使用安眠劑嗎？

並沒有臨床證據顯示使用安眠藥會減少作夢，有一些安眠藥物還可能引起惡夢。

5. 鎮靜安眠藥在醫師處方劑量下無效，自行再加量吃仍沒有效，之後該如何處理？

當覺得鎮靜安眠藥在醫師處方劑量下無效時，不應該自行提高藥量，應與處方醫師討論，經由仔細地評估與瞭解，再由醫師決定做最適當的處置。

6. 經常不易入睡的人，因為怕會有副作用而不敢吃醫師開的安眠藥時，該怎麼辦？

比起以前的巴比妥酸鹽類鎮靜安眠劑，現在的鎮靜安眠劑的安全性比較高。在醫師的專業判斷下，於必要的時機，短期適量地服用安眠藥並不會有習慣性的顧慮，但是需要注意是否有白天嗜睡的情況發生。但是最好找出失眠的原因，避免長期依賴藥品。

7. 長期服用安眠藥會有什麼後遺症？

長期服用安眠藥，有可能會引起兩種反應，一種是身體產生耐藥性，也就是說身體需要較高的藥量，才能達到一樣的效果；另一種是身體產生依賴性，就是說當長期使用，若突然停藥時，身體可能會產生戒斷症狀。長期服用（三、四個月以上）、服用高劑量benzodiazepines的人，突然停用時，會發生戒斷症狀，所以應避免突然停藥或快速降低劑量。建議欲停用benzodiazepines時，應每一至兩週漸減每日劑量百分之十至二十五，並監測其不良反應。停用短、中效的benzodiazepines有困難者，先以長效的替代之，再漸減長效benzodiazepines劑量，以降低戒斷症狀的嚴重性。在戒斷過程中，可使用beta-阻斷劑減輕因戒斷所產生的自主神經症狀。有酒精及藥物濫用病史等高危險群，比較容易產生精神上的依賴性。

8. 喝酒可以幫助睡眠嗎？

酒精及某些鎮定劑會抑制快速動眼期（REM）的時間，導致睡眠斷斷續續，無法獲得充足休息。也就是睡眠狀況一直停留在淺睡期，很難進入深睡期，所以即使睡眠時間很長，隔天早上起來仍然覺得很累、

沒睡飽的情況。另外有研究指出，一些有酗酒習慣的人也常常出現睡眠障礙，在半夜醒來數次，而他們的REM都很短，深睡期也很短或幾乎沒有。

🦜9. 服用安眠藥加酒會致死是什麼原理？

一般鎮靜安眠藥為benzodiazepines類，與酒精之交互作用為：酒精會抑制benzodiazepines類藥品之肝代謝，並增加benzodiazepines之口服吸收率；且酒精本身具鎮靜作用，進而增加中樞神經抑制作用，甚至中毒症狀的發生機率。

🦜10. 所謂毒性較輕的毒品比較安全嗎？

毒品都會影響正常的起居作息，造成使用者的身心傷害。而且每個人的身體狀況不同，任何一種毒品都有其潛藏的致命性，不要以毒性輕重之別而任意嘗試。

🦜11. 毒品會傷害腦部嗎？

不同毒品對於不同之個體，均有可能對中樞神經系統造成程度不等之傷害。比如每週或每月只服用一次快樂丸會有危險性嗎？多項醫學研究均已證實，搖頭丸即使只是週末假日使用，就已經足以讓身體沒有任何疾病的青少年出現腦部的損傷，造成注意力、記憶

力、學習能力、智力等認知功能的退化；另一方面，研究還發現，如果濫用者是屬於同時使用搖頭丸與大麻者，其在認知方面的退化更為顯著。

12. 如果染上毒癮，可以戒得掉嗎？

若不幸染上毒癮，要找專業人員協助。毒癮的戒治過程中，心理戒治是最困難的，既費時又費力，往往成效有限，一旦拒毒心防潰決，容易再犯。保護自己最有效的方法就是堅拒毒品。

13. 常見濫用物質有那些種類？

依管制藥品管理法規，常見濫用物質分為：

(1) 麻醉藥品：

　　A. 鴉片類：

　　　(a) 天然及半合成類：海洛因（heroin）、嗎啡（morphine）、可待因（codeine）。

　　　(b) 合成類：配西汀（pethidine）、速賜康（pentazocine）、特拉嗎竇（tramadol）、美沙冬（methadone）。

　　B. 古柯類：古柯鹼（cocaine）、快克（crack）。

　　C. 大麻類：大麻煙、大麻脂。

(2) 影響精神物質：

藥物濫用

A. 中樞神經迷幻劑類：搖腳丸（LSD）、天使塵
（PCP：phencyclidine）。

B. 中樞神經興奮劑類：安非他命
（amphetamine）、搖頭丸（MDMA）等。

C. 中樞神經抑制劑類：紅中（secobarbital）、白
板（methaqualone）、青發（amobarbital）、
FM2（flunitrazepam）、蝴蝶片（alprazolam）、
小白板（triazolam）、安定或煩寧(diazepam)、
強力膠、有機溶劑、K他命（ketamine）、液態
快樂丸（GHB：γ-hydroxybutyrate）。

14. 藥物濫用會造成那些危害？

濫用藥物會引起下列危害：

(1) 心理依賴性：搖頭丸（MDMA）、K他命
（ketamine）、FM2（flunitrazepam）等會引起欣快
感，並有繼續使用的渴望，造成濫用。

(2) 耐藥性：海洛因（heroin）、嗎啡（morphine）等
長期使用後，需要服用更高劑量，才能達到原先的
效果，過量時易造成急性中毒。

(3) 生理依賴性：停用海洛因（heroin）、嗎啡
（morphine）等會引起身體極度不適，稱為戒斷症
候群，使用者會有持續使用的渴望，因而上癮。

(4) 社會危害性：濫用藥物會導致生產力降低，醫療成本增加、家庭破碎、社福支出增加，危害整體社會。

🐻15. 那些場所較易沾染到藥物濫用惡習？

在夜總會、酒吧、舞會、PUB、大型活動等聚會場所，有些人會使用藥物、菸和酒來助興，造成藥物濫用。

🐻16. 俱樂部濫用藥有哪些？

俱樂部濫用藥包括：搖頭丸（MDMA；Ecstasy）、GHB、GBL、ketamine、FM2、（甲基）安非他命和LSD等。在國內濫用相當嚴重。

🐻17. 據新聞所報導破獲吸毒案例中，常有搖頭丸、K他命及一粒眠，這些是藥品嗎？

搖頭丸、K他命及一粒眠在國內已成為濫用的主流毒品。在校園及PUB、KTV等場所為青少年所吸食，已嚴重危及青少年身心健康及社會治安。

搖頭丸是MDMA，一種安非他命類的中樞神經興奮劑，MDMA俗稱快樂丸、忘我、狂喜、亞當、綠蝴

蝶、E等,列為二級毒品,且醫療上禁止使用。

K他命是一種具中樞神經抑制作用的藥品ketamine,俗稱卡門、愷他命、K仔、K等,也是一種約會強暴丸,列入第三級毒品。

一粒眠又稱紅豆,主要成分為「硝甲西泮」（nimetazepam）,屬於中樞神經抑制劑。長期使用會造成記憶力、注意力障礙,現已列為第四級毒品。

18. FM2無色無味,應如何分辨?

目前有些合法FM2製造藥廠（例如Rohypnol®）為防止藥物淪為罪犯迷姦之工具,由原先的白色無味錠劑,改為內有藍色色素的綠色橢圓形錠劑,加進飲料中會讓液體變色,以利飲用者辨識。但若為毒販商所提供之FM2或傳統FM2藥品則無法從外觀辨識。且若被摻加於深色且具濃烈味道之飲料中（如咖啡、深色雞尾酒等）,仍可能掩飾藥品本身之味道或顏色而使飲用者無法辨識。

19. 請問像FM2類的藥物有解毒藥嗎?

FM2過量中毒,主要是採支持性治療,病人通常沒有大礙。FM2的解毒劑flumazenil（Anexate®）可拮抗其藥理作用,主要是作為診斷用途。其作用時間僅約

五十多分鐘，通常靜脈注射0.5mg即清醒者，多為單
純benzodiazepine中毒；若注射較大量才清醒時，有
可能是肝昏迷、酒精中毒或其他藥品中毒的患者。如
注射2-3 mg，仍未完全清醒，就不要再注射，且須注
意與其他疾病（如中風、其他藥物中毒）之鑑別診
斷。Flumazenil還可改善benzodiazepines中毒所導致的
呼吸不良。

20. FM2、GHB服用多久會發生作用？如何預防被下藥？

FM2、GHB服用後約15-30分鐘後發生作用，若摻加於
酒類飲料當中，作用可能更快、更強。預防方式是提

高警覺，不隨意接受陌生人的飲料或香菸；絕對不能讓飲料離開視線，亦不要請別人幫你看飲料；儘可能點有蓋、密封的飲料，飲用前檢視整個外包裝是否完整、有無細縫、滲漏或漏氣。若發現身體有異時，應把握時間儘快離開現場，並向可靠的人求助。不涉足不正當的場所才能保護自己。

21. 不小心吃到約會強暴丸，會不會有後遺症？會上癮嗎？

GHB、K他命和FM2均會被利用為性犯罪工具，也就是說，「約會強暴丸」的成分可能是GHB、K他命或FM2。不良反應會因所吃入的劑量不同而異，可能產生的副作用包括：昏睡、意識不清、暈眩、噁心、暫時性記憶喪失、幻覺、血壓降低、心搏減慢、痙攣、呼吸抑制、昏迷等。會不會有後遺症，需視誤食之劑量而定，不小心吃到不至於造成上癮。

22. 是否有不違法的提神藥？

例如：含咖啡因之製劑。

🦁23. 何謂戒斷現象，會出現那些症狀？

戒斷現象是指因重複使用某類藥物，由於很快地減少或停止使用該藥物時，所產生之種種明顯生理症狀的情形，即所謂的生理依賴性。而每一種毒品其戒斷症狀均不同，也會因為個人體質、使用時間長短、使用劑量等不同而出現不同之症狀。詳細的戒斷症狀請參考管制藥品管理局網站：www.nbcd.gov.tw。

🦁24. 為什麼男性賀爾蒙會被濫用？

所有的合成男性賀爾蒙類藥物，都與人體內之男性賀爾蒙（例如睪固酮）有類似的化學結構與作用。這類藥物有促進骨骼肌肉生長及發展男性特徵的作用。這類藥物被濫用主要在運動員，用以改善或影響其運動上的表現；亦有民眾希望可以增加肌肉體積與力量或降低體脂肪而濫用這類藥物。

17
綜合（疫苗、流感、
化療、其他）

1. 嬰幼兒為何需要注射疫苗？

嬰幼兒及兒童因免疫系統發育未完全，抵抗力較成人弱，易受感染。疫苗接種可以建立嬰幼兒免疫能力，預防特定的感染疾病與其後遺症。

2. 延遲接種時該如何處置？

常規疫苗的接種時程，一般經過嚴謹研究，以達到最佳的免疫效果。如疫苗的基礎接種兩劑間隔太久，會影響預防效力。例如日本腦炎之第一、第二劑如間隔超過三個月，建議重新接種。

3. 國內常見嬰幼兒疫苗有那些？

政府提供常規接種的嬰幼兒疫苗有：卡介苗、B型肝炎疫苗、小兒麻痺疫苗、白喉／百日咳／破傷風混合疫苗、麻疹／腮腺炎／德國麻疹混合疫苗、日本腦炎疫苗、水痘疫苗等。

4. 混合疫苗的種類有那些？

混合疫苗（combination vaccine）包括三合一、四合一、五合一和六合一疫苗等。三合一疫苗包括白喉、百日咳和破傷風疫苗，四合一疫苗加入b型嗜血桿菌

疫苗，五合一疫苗另加入注射型小兒麻痺疫苗（沙賓疫苗），六合一疫苗再加入B型肝炎疫苗。

5. 混合疫苗和其它疫苗（例如流感疫苗或肺炎鏈球菌疫苗）可以一起施打嗎？

一般而言，除了日本腦炎疫苗外，混合疫苗應可以和其他疫苗同時接種。混合疫苗可能會加強日本腦炎疫苗的腦組織抗原性，應避免同時接種。

6. DTP是什麼？效用如何？

DTP是白喉／破傷風／百日咳（diphtheria、tetanus、pertussis）三種疫苗所製成的非活性疫苗。按時施打DTP對白喉、破傷風、百日咳有良好的預防效果。白喉主要侵犯咽喉部，可能引起急性上呼吸道阻塞、心肌炎或神經炎等嚴重合併症。破傷風則經由傷口感染，破傷風桿菌會釋放毒素而引起併發症，最常見的為全身性破傷風。百日咳會引起嚴重而持久的咳嗽症狀。

7. MMR是什麼？效用如何？

MMR是指麻疹／腮腺炎／德國麻疹（measles／

mumps／rubella）三種疫苗所製成的活性減毒疫苗。按時施打MMR對麻疹、腮腺炎、德國麻疹有良好的預防效果。麻疹常引起急性上呼吸道感染及皮疹，常易併發中耳炎、肺炎及腦炎，一歲以下致死率相當高。腮腺炎常見的併發症為中樞神經炎及生殖腺炎。德國麻疹最常見的症狀為臉部、頸部及身體產生紅疹，若孕婦妊娠前期感染恐會導致胎兒先天畸形，需特別注意。

8. 小兒麻痺疫苗有幾種？

小兒麻痺疫苗有兩種：口服的沙賓疫苗為活性減毒疫苗，注射用的沙克疫苗為不活化疫苗。有些混合型疫苗含有沙克疫苗。

9. 什麼是日本腦炎？何時接種疫苗？

日本腦炎（Japanese encephalitis）係日本腦炎病毒引起的腦、脊髓及腦膜病變，有很高的死亡率與神經方面的後遺症。

國內規定疫苗接種時程為每年三到五月，年滿一歲三個月幼兒，間隔兩週接種兩劑，一年以後再追加一劑，並於國小一年級時追加一劑。

🐨 10. 那些人不適合接種水痘疫苗？

患有嚴重疾病、免疫能力不全、白血病及正在使用類固醇治療的孩童與懷孕婦女均不宜接種。

🐨 11. 接種水痘疫苗後有何注意事項？

研究發現雷氏症候群通常發生在十五歲以下的小朋友，可能與水痘或是流行性感冒發生時，服用阿斯匹靈或水楊酸類藥品有關。因此接種六週內，如有發燒或疼痛現象切勿使用水楊酸類藥品（如阿斯匹靈，aspirin），可改用其他不含水楊酸類的止痛解熱劑（如乙醯胺酚，acetaminophen）。

🐨 12. 為什麼要全面施打 B 型肝炎疫苗？

臺灣在全面接種B型肝炎疫苗以前，成人約百分之十到二十是B型肝炎的帶原者，長期帶原者轉變成肝硬化與肝癌的可能性很高。政府自民國七十三年起逐步推動全國幼兒B型肝炎預防注射，目前兒童B型肝炎帶原比例已降至百分之一以下。

🐨 13. 為什麼要施打肺炎鏈球菌疫苗？

肺炎鏈球菌通常存在於呼吸道內，當免疫力降低或感

冒時可能導致肺炎鏈球菌感染及相關併發症。另因肺炎鏈球菌的抗藥性偏高，專家多建議老人、幼童及高危險群接種疫苗。

14. 成人和幼兒的肺炎鏈球菌疫苗有什麼不同？

肺炎鏈球菌疫苗可分為二十三價多醣體疫苗及七價蛋白結合型疫苗兩種。二十三價疫苗能防止鏈球菌感染，一般建議六十五歲以上老人和容易得到嚴重感染的高危險群接種；七價接合型疫苗能夠有效的減低肺炎鏈球菌在鼻咽的叢集（colonization），適合兩歲以下幼童施打。

15. 感染肺炎鏈球菌會造成什麼問題？

肺炎鏈球菌（Streptococcus pneumoniae；pneumococcus）感染時，輕則造成中耳炎、鼻竇炎和支氣管炎等，重則侵入下呼吸道或血液中，引起肺炎、菌血症、腦膜炎等嚴重病症。

16. 什麼是流感？

流感（流行性感冒，influenza）是由病毒引起的上呼

吸道感染，症狀可能有發高燒、肌肉疼痛、頭痛、疲倦、喉痛、咳嗽、流鼻水或鼻塞等，也可能有腹瀉和嘔吐。感染期通常維持一星期，有些老人、慢性病患者、孕婦及兒童有可能導致嚴重的併發症。

17. 如何區分普通感冒和流行性感冒？

一般的感冒對人體的影響通常比較小，常見症狀有打噴嚏、鼻塞、流鼻水、咳嗽、喉嚨痛、頭痛等，較少見發燒或只有輕微的發燒，通常幾天內就會好轉。

流行性感冒的症狀，常在出現幾小時內就變得很嚴重。除了呼吸道的問題外，還可能發生嚴重頭痛、全身酸痛、明顯且持續的疲倦虛弱、發高燒、畏寒、胸腔不適等，疾病持續的時間為一到二週。嚴重者會引起肺炎、鼻竇炎、支氣管炎、中耳炎、心肌炎、腦炎等併發症。

18. 如果患了流感該怎麼辦？

應儘快就醫，由醫師診治服用藥品以減輕症狀；應留在家中充分休息與多喝開水，避免外出，以免傳染他人。如出現嚴

重流感時，須住院治療。

19. 如何預防流感？

建議每年秋季接種流感疫苗，應先經醫師的評估診察後決定可否接種。接種後最常見的副作用反應是接種部位疼痛、紅腫，極少數出現全身性反應。

20. 流感疫苗於每年的什麼時候接種？

每年秋冬季節的十月到十二月期間接種。

21. 流感疫苗應多久接種一次？

建議每年接種一次。疫苗的保護力於接種四至六個月後就可能下降，且每年全球流行的病毒株並不相同，過去施打的疫苗對不同抗原型之病毒並不具保護力，所以必須每年接種一劑。

22. 接種流感疫苗時有那些禁忌要注意？

以下情況不適合接種流感疫苗：
(1) 六個月以下的嬰兒。
(2) 已知對「蛋」之蛋白質或疫苗其他成分過敏者。
(3) 過去接種流感疫苗曾經發生不良反應者。

(4) 發燒或急性疾病患者。

(5) 經醫師評估不適合接種者。

23. 接種流感疫苗最常出現的副作用是什麼？

注射部位出現疼痛、紅腫，身體可能有發燒、倦怠等輕微反應，一般均於接種後一至兩天內恢復，嚴重的副作用極少發生。接種後如有持續發燒、嚴重反應如呼吸困難、氣喘、昏眩、心跳加速或其他不適症狀，應儘速就醫。

24. 接種流感疫苗就不會感冒了嗎？

不是，接種流感疫苗並不會降低感冒或流行性感冒的罹患率。流感疫苗是根據世界衛生組織建議的每年可能引發流行的病毒株來製造，若病患感染的是其他病株，那麼依然會感染感冒。

25. 預備懷孕或已經懷孕的婦女可以接種流感疫苗嗎？

懷孕婦女前三個月不建議施打流感疫苗，在進入流行期，懷孕四個月以後的婦女可經由醫師評估後接種。預備懷孕者須經由醫師評估，若懷孕時正值流感流行

時期，孕婦應勤洗手，避免進出人多擁擠的場所，平時注意均衡營養與適度運動，提升身體抵抗力，並建議其家屬接受流感疫苗接種。

26. 流感有治療的藥品嗎？

目前抗流感病毒藥品有兩類。一類屬於M2蛋白抑制劑（amantadine），但因副作用較大且已產生抗藥性，現在已經不再用於流感。另一類為神經胺的抑制劑，如克流感Tamiflu® (oseltamivir)、瑞樂沙旋達碟Relenza Rotadisks®（zanamivir），對A、B型流感之治療效果良好，對H1N1流感亦具有療效。在感染後四十八小時內使用才有顯著效用，此藥需有醫師處方才能調劑，以防止產生抗藥性。

27. 禽流感是什麼？

以前引起雞大量死亡的「雞瘟」，就是家禽流行性感冒（Avian influenza）。流感病毒有A、B、C三型，A及B型會侵害人類，而A型會造成大流行。存在於鳥類的A型流感病毒可分為高致病性和低致病性二種，受到高致病性流感病毒感染的鳥類會突然發病且症狀嚴重快速死亡。

28. 禽流感會傳染給人嗎？

禽流感病毒通常不傳染給人。一般由候鳥傳至水禽，由水禽感染陸禽（如雞），再由雞傳給豬。在豬體內透過基因重組，演變成可以人傳人的病毒。人從豬感染全新病毒，近年已有人類感染之病例。

29. 人類禽流感有什麼樣的症狀？

初期的病徵與流感相似，包括發燒、頭痛、肌肉酸痛、流鼻水、咳嗽、腹瀉等症狀。後期可能引起高燒、肺炎、多種器官衰竭致死。

30. 為預防感染禽流感病毒，平日應該注意甚麼事？

(1) 避免接觸禽鳥及其分泌物，若不慎接觸，應馬上以肥皂徹底清潔雙手。

(2) 避免生食禽類製品（包含蛋類及相關產品），且食物需煮熟。

(3) 避免到生禽宰殺處所，選購有中華農業標準（CAS）優良食品標示之禽畜肉類及其相關製品。

(4) 勤洗手、養成良好個人衛生習慣。

(5) 飲食均衡、適當運動及休息。

(6) 若出現發燒、喉嚨痛、咳嗽、結膜炎等症狀，並有禽鳥接觸史、疫區旅遊史，請帶口罩儘速就醫，並主動告知職業及工作內容、旅遊史等。

31. 沙利竇邁（thalidomide）可用於病人化療後所產生的噁心、嘔吐嗎？

根據現今研究顯示，thalidomide具有抑制血管新生，抑制骨髓瘤細胞生長，及免疫調節的功能。目前thalidomide的許可證適應症除了可用在痲瘋性結節性紅斑（erythema nodosum leprosum, ENL）的治療上，亦可治療新診斷多發性骨髓瘤。此藥並無用於控制化療之後的噁心與嘔吐的適應症。而且因為有致畸性，因此不可使用在孕婦身上。

32. 化療的病人食慾不振，補充營養劑會不會壯大癌細胞？

接受癌症細胞毒性化學治療的病人，需要足夠的營養補充，才可以維持體能，準時地接受化學治療，以達到最佳的治療效果（殺死癌細胞）。營養不良可能會增加治療的合併症及感染率（白血球數不易在正常的時間回復）。

※營養治療的目的：

(1) 預防或避免體重過度減輕。

(2) 修補因治療所產生的損傷，促進新組織的建造。

(3) 增加患者對治療的接受能力及對感染的抵抗力。

(4) 減輕治療所引起之副作用及預防因營養不良引起的併發症。

(5) 使病患感覺較舒暢、體力較充沛。癌症患者於各類治療進行前，即應維持良好的營養及注意飲食的均衡，以保持體能。

33. 拿口服的抗癌用藥是否要戴手套？

某些抗癌用藥具細胞毒性，具細胞毒性的藥會干擾細胞的分裂，藉著阻止遺傳物質（DNA）的製造或藉著與DNA有化學作用造成DNA的傷害，以致細胞死亡。取用有細胞毒性的口服抗癌藥物時，建議使用手套。

34. 太平洋紫杉醇有哪些副作用？

太平洋紫杉醇(Taxol®)常見的副作用包括禿頭、噁心嘔吐、肝指數不正常、關節痛、肌肉痛、周邊神經病變等，而嚴重的副作用則包括血壓過低、心律過慢、骨髓抑制、白血球過低、過敏反應等，故在使用Taxol®時必須注意監測病人的肝腎功能與血球計數。

35. 作化療的人可以懷孕嗎？

化學治療藥品會作用在體內分裂較快的細胞，而懷孕初期胎兒生長細胞分裂很快，因此可能造成胎兒畸形，不適合懷孕。詳細孕婦用藥的安全性分級資料可以請教藥師。

36. 癌症病人使用之止痛藥，口服、注射、貼片何者較好？

癌症病人所面臨的疼痛包括急性與慢性疼痛，所使用的止痛藥也十分複雜，不同的劑型主要是讓醫師能夠依照病人的情況調整給藥方式。以嗎啡為例，有多種給藥途徑，包括錠劑，口服溶液，栓劑和注射劑型，各種劑型間之轉換須注意使用劑量的不同，如口服錠劑與靜脈給藥的劑量轉換比為三比一。而現今的貼片則是fentanyl（一種合成的嗎啡類強力止痛劑），適用於止痛藥劑量已達穩定狀態的慢性疼痛病人，如每日口服三十毫克嗎啡錠者，可改用25 mcg/hr fentanyl貼片。

🦜 37. 癌末病人自費使用morphine的病人自控止痛（PCA），可否一次自醫院拿三個月的藥？

嗎啡是第一級的管制藥品，居家癌症病人嗎啡口服製劑一次處方，最多可以帶回二週的用量；注射劑原則上不建議由病患帶回家使用，但若有必要每次處方以七日為限。

🦜 38. 癌症末期的疼痛該給止痛藥嗎？

正視病人對疼痛的感受，給予充分的精神支持，並請疼痛專科醫師診治。遵照醫師指示按時給予止痛藥，不要等到疼痛加劇才給止痛藥，也不可因怕上癮而不敢讓病人服用止痛藥。一般的癌痛處理從NSAID開始，可以用於輕微的癌痛，接著使用效果較弱的鴉片類止痛劑，最後才使用嗎啡類藥物，依序使用。

🦜 39. 癌症疼痛的鎮痛貼片應如何使用？

要貼在身上較無毛髮、無皺折的位置，如前胸、後背、上手臂、大腿等。使用部位應保持乾燥，每次更換不同位置以減少藥布對局部的刺激。貼好貼片後應用肥皂洗手。

40. 喝咖啡可以利尿但可以長期使用嗎？

咖啡含有咖啡因，有利尿的作用。對於骨質疏鬆症、腸胃疾病及失眠患者來說，咖啡喝多了，可能有症狀加重之虞。雖然目前喝咖啡的好處及壞處尚未有定論，一般人適量飲用，對健康應不至造成傷害。

41. 市面上許多提神飲料，是否含咖啡因？

大多數市售的提神飲料都含有咖啡因或茶精、綠茶抽取液等咖啡因添加物。

特別提醒您：一般人每天攝取咖啡因總量應低於三百毫克，孩童、懷孕及哺乳婦女與對咖啡因敏感者不宜服用。

42. 勞動者常喝提神飲料，好嗎？

宣稱可提神之飲料維士比與保力達B，主要含有數種胺基酸、維他命B群、當歸、川芎等抽取物、咖啡因（0.5 mg/mL）、酒精（百分之十），均屬於指示用藥，應該在醫師或藥師指示下使用。衛生署原核可兩種飲料做為營養補給用，但因產品中含有酒精，長期飲用可能造成酒癮。

43. 平時家裡該準備家庭醫藥箱嗎？通常需要準備那些藥品？

一般家庭有需要準備醫藥箱以應付臨時之需。可能需要的常備藥品包括解熱鎮痛劑、感冒藥、腸胃藥以及外傷膏藥、優碘等。家庭成員若有老人或小孩，在購買成藥時，除了要瞭解包裝上的說明，建議詢問藥師所購藥品是否對慢性病有影響，或對小孩使用上有否安全性問題。另外常備藥品必須定期檢查，切勿使用過期的藥品。

44. 旅行時有需要隨身帶一些藥品嗎？

可依個人的需要準備一些藥品，例如暈車藥、腸胃藥、感冒藥、解熱鎮痛藥、外用藥（優碘、外傷藥膏、OK繃）、防蚊液等。在藥局購買此類成藥時請記得向藥師詢問用藥注意事項。

長期服藥的慢性病人需準備足夠的藥量，要按時服藥。

45. 為何戒菸卻越抽越凶？吃尼古丁口香糖以後會上癮嗎？

因為戒煙後會有尼古丁戒斷症候群，會產生不安或憂鬱、失眠、易受挫折、容易生氣、焦慮、精神不集中、躁動、心跳減慢、食慾增加或體重增加等症狀。為了平復這些情況而再次吸煙的人，會吸得比之前多以緩解上述症狀。另外，使用戒煙口香糖不用擔心會上癮的問題，尼古丁嚼片是輔助療法，其尼古丁的含量約只有香菸的五分之一（一個嚼片約為二至四毫克，一根香菸約為十至二十五毫克），應不至於成癮。

46. 代鹽是什麼？哪些人不可使用代鹽？

鹽的成分是氯化鈉，代鹽一般成分為氯化鉀。腎臟不好的人，鉀不易排出，體內過多的鉀，可能造成心律不整等相當嚴重的副作用。因此有腎臟病，尤其是腎衰竭的病人，使用代鹽需相當謹慎小心。此外，原本就使用會讓血鉀升高藥品的病患，亦不適合使用代鹽。

綜合（疫苗、流感、化療、其他）

資料來源

網站

Advanced Dermatology Education Server
【 http://ades.tmu.edu.tw/ 】

KingNet 國家網路醫院
【 http://hospital.kingnet.com.tw/ 】

MedlinePlus: Drugs, Supplements, and Herbal Information
【 http://www.nlm.nih.gov/medlineplus/druginformation.html 】

Webster's Online Dictionary
【 http://www.websters-online-dictionary.org/ 】

中央健康保險局
【 http://www.nhi.gov.tw/ 】

健保用藥品項查詢
【 http://www.nhi.gov.tw/inquire/query1.asp 】

臺大醫院
【 http://ntuh.mc.ntu.edu.tw/E-Hospital/NTUH.HTM 】

臺大醫院藥劑部
【 http://www.ntuh.gov.tw/phr/intergrate.aspx 】

佛教慈濟綜合醫院
【 http://www.tzuchi.com.tw 】

財團法人藥害救濟基金會
【 http://www.tdrf.org.tw 】

高雄榮總營養室
【 http://www.vghks.gov.tw/diet/ 】

高雄醫學大學
【 http://www.kmu.edu.tw/ 】

國家衛生研究院
【 http://www.nhri.org.tw 】

康健雜誌
【 http://www.commonhealth.com.tw/ 】

維基百科 Wikipedia

行政院衛生署網站及相關連結
【 http://www.doh.gov.tw/ 】

中華民國糖尿病衛教學會
【 http://www.tade.org.tw/ 】

中華民國防高血壓協會
【 http://www.hypertension.org.tw/ 】

American Pharmacists Association (APhA)
【 http://www.pharmacist.com/ 】

法規

健康食品管理法（民國九十五年五月十七日修正）

藥事法（民國九十五年五月五日修正）

藥品生體可用率及生體相等性試驗基準（民國九十八年四月二日公告）

藥品查驗登記審查準則（民國九十八年九月十四日修正）

藥害救濟法（民國九十八年五月五日修正）

藥師法（民國九十六年三月二十一日修正）

醫療法（民國九十八年五月二十日修正）

書籍、期刊、電子資料庫

Applied Biopharmaceutics & Pharmacokinetics. Leon Shargel, et al. 5th ed. New York: McGraw-Hill Medical; 2005.

Applied Therapeutics: the Clinical Use of Drugs. Koda-Kimble MA, et al., editors. 8th ed. Philadelphia: Lippincott Williams & Wilkins; 2005.

Handbook of Nonprescription Drugs. Berardi RR, et al., editors. 16th ed. Washington: American Pharmacists Association; 2009.

Pharmacognosy and Pharmacobiotechnology. Robbers JE, et al. Baltimore: Lippincott Williams & Wilkins; 1996.

Pharmacotherapy: a Pathophysiologic Approach. DiPiro JT, et al., editors. 7th ed. New York: McGraw-Hill Medical; 2008.

Textbook of Therapeutics: Drug and Disease Management. Helms RA, et al., editors. 8th ed. Philadelphia: Lippincott Williams & Wilkins; 2006.

Drug Facts and Comparisons. St. Louis (MO): Facts and Comparisons; 2009.

AHFS Drug Information. Bethesda: American Society of Health-System Pharmacists; 2009.

Micromedex Healthcare Series [computer program]. USA: Thomson MICROMEDEX, 2009.

《抗生素的迷思—濫用抗生素對醫療的影響》Stuart B. Levy著，林丹卉、王惟芬譯；商周出版（台北，民93）。

《社區大學用藥知識課程講義》陳瓊雪、林慧玲編輯；中華景康藥學基金會／衛生署發行印製（台北，民95）。

《藥你健康》臺灣大學藥學系／行政院衛生署發行印製（台北，民95）。

《健康食品暨保健智慧》（Health food & healthy wisdom）黃敏雄、吳敬誠、林鳳瑞編著；華香園出版社（台北，民96）。

《禽流感防治大作戰》楊聰財、陳應盛編著；活泉書坊出版（台北，民94)。

《用藥安全500QA》陳瓊雪主編；中華景康藥學基金會發行印製（台北，97）。

《家庭用藥全書》鄭維理、王順德著；商周出版(台北，民93)

《安全用藥2中藥服用須知》林昭庚、陳潮宗著；台視文化出版(台北，民94)。

審訂委員與作者簡介

審訂委員	服務單位
陳瓊雪	臺大藥學系兼任教授
吳如琇	前臺大醫院藥劑部組長
林慧玲	臺大藥學系副教授
何蘊芳	臺大藥學系助理教授
沈麗娟	臺大藥學系助理教授
蕭德貞	中華景康藥學基金會主任
陳昭姿	和信治癌中心藥劑科主任
沈馨仙	長庚醫院林口院區藥劑部組長
簡素玉	彰化基督教醫院藥劑部主任
高雅慧	成大臨床藥學研究所教授
林綺珊	臺大醫院藥劑部藥師
林子舜	羅東聖母醫院藥劑科主任
簡淑真	北醫藥學系助理教授

作　　者	服務單位
姜紹青	和信治癌中心藥劑部組長
謝玲玲	前臺大醫院藥劑部組長
蔡佩芳	前臺大醫院藥劑部藥師
許崇娟	前臺大醫院藥劑部藥師
陳映蓉	臺大醫院藥劑部組長
顏月亮	臺大醫院藥劑部藥師
周　華	臺大醫院藥劑部藥師
連玉婷	臺大醫院藥劑部藥師
陳君萍	臺大醫院藥劑部藥師
劉玲妤	臺大醫院藥劑部藥師
黃彥銘	臺大醫院藥劑部藥師
王鵬豪	中醫藥委員會技正
李佳琪	疾病管制局技正
陳文雯	藥害救濟基金會組長
陳昭元	泰林中西藥局藥師
羅雅貞	謚安藥局藥師
羅亞寧	康成藥局藥師

Comfort 08

用藥安全手冊——600題醫藥常識快問快答

編　　著／財團法人中華景康藥學基金會
作　　者／姜紹青　蔡佩芳　謝玲玲　許崇娟　陳昭元　王鵬豪　李佳琪　陳文雯
　　　　　陳映蓉　顏月亮　周　華　連玉婷　陳君萍　劉玲妤　黃彥銘　羅雅貞
　　　　　羅亞寧
審訂委員／陳瓊雪　吳如琇　林慧玲　陳昭姿　沈馨仙　簡素玉　高雅慧　林綺珊
　　　　　林子舜　簡淑真　蕭德貞　何蘊芳　沈麗娟
總 策 畫／陳瓊雪
總 編 輯／呂靜如
責任編輯／張飴倫、郭湘吟
行銷企劃／林鈴娜
封面設計／竺莊工坊
內頁插畫／法蘭克
美術編輯／朱海絹

出　　版／泰電電業股份有限公司
地　　址／台北市中正區博愛路七十六號八樓
電　　話／(02)2381-1180　傳真／(02)2314-3621
劃撥帳號／1942-3543 泰電電業股份有限公司
網　　站／http://www.fullon.com.tw

總 經 銷／時報文化出版企業股份有限公司
電　　話／(02)2306-6842
地　　址／台北縣中和市連城路一三四巷十六號
印　　刷／海王印刷事業股份有限公司

■二〇一〇年三月初版
定　　價／280元
ISBN／978-986-6535-53-6

國家圖書館出版品預行編目資料

用藥安全手冊——600題醫藥常識快問快答／財團法
人中華景康藥學基金會編著. --初版. --臺北市：泰電
電業，2010.03　面；　公分.--（Comfort；8）

ISBN　978-986-6535-53-6（平裝）

1.藥學　2.問題集

418.022　　　　　　　　　　　　　　　　98025205